D0296051

EPHRAIM KISHON · DER SEEKRANKE WALFISCH

EPHRAIM KISHON

Der seekranke Walfisch
oder
Ein Israeli auf Reisen

ALBERT LANGEN · GEORG MÜLLER
MÜNCHEN · WIEN

Ins Deutsche übertragen von Friedrich Torberg

Großdruckausgabe

Druck: Buchdruckerei Georg Wagner, Nördlingen
Bindung: Thomas Buchbinderei, Augsburg
Umschlagentwurf: Rudolf Angerer
Printed in Germany 1972
ISBN 3-7844-1498-2

Inhalt

»Und der Herr sprach zum Walfisch, und derselbige speiete den Jonah aus und ans Land.«
Jonah II, II

»Ich bin ein alter Seefahrer, Herr«, sagte der Walfisch. »Ich befahre die Strecke Tarsus-Ninive seit vielen Jahren und hatte niemals die geringsten Magenbeschwerden. Noch *einen* Reisenden aus Israel, Herr — und ich werde Dich bitten müssen, mich auf eine andre Strecke zu transferieren!«

Unternehmen »Letztes Hemd«

Ein informatives Vorwort, handelnd von der unwiderstehlichen Reiselust des israelischen Bürgers, sowie von den Listen und Tücken, mit denen die Behörden sich dieser Massenbewegung entgegenstemmen. — Der Autor begeht einen verhängnisvollen Fehler und zieht sich die unauslöschliche Verachtung seiner Mitbürger zu. — Letzte Vorbereitungen vor der Abreise. Begegnung mit einer jüdischen Eule namens Lipschitz.

Auslandsreisen sind ein beliebter Zeitvertreib in aller Welt. In Israel ist der Zeitvertreib zur Besessenheit ausgeartet. Das hat viele Gründe. Vor allem ist es in unsrem Land sehr heiß, beinahe so heiß wie in New York an einem milden Frühlingstag, also unerträglich heiß. Oft hat man das Gefühl, kein Mensch mehr zu sein, sondern eine ausgedörrte Pflaume. Ein israelisches Sprichwort lautet: »Wenn du deinem Paßbild ähnlich zu sehen beginnst, ist es höchste Zeit wegzufahren.« Die Israelis besitzen größeren Anspruch auf Auslandsreisen als irgendein andres Volk, schon deshalb, weil sie zum überwiegenden Teil nicht im Lande geboren wurden, sondern es mehr oder weniger freiwillig zu ihrem Heimatland erkoren haben. Daher ist es nur natürlich, wenn sie von Zeit zu Zeit das Bedürfnis überkommt, ihr Herkunftsland wiederzusehen, Vergleiche zu ziehen und festzustellen, ob sie eine weise Wahl getroffen haben. Außerdem gibt es in unsrem Miniaturstaat keinen Winkel mehr, den wir nicht kennen. Wenn ein wagemutiger Pläneschmied ankündigt, daß er morgen das ganze Land der Länge und Breite nach durchforschen wird, entgegnet man ihm beinahe mechanisch: »Und was machen Sie am Nachmittag?«

Als Hauptgrund für die unbezähmbare Reiselust der Israelis muß jedoch die Tatsache angesehen werden, daß die Regierung dagegen ist.

Diese offizielle Haltung wurzelt in einer Reihe von Erwägungen sowohl spiritueller wie praktischer Art. Erstens fragt der gesunde jüdische Menschenverstand: »Wozu überhaupt reisen? Wer braucht das? Hier ist es vielleicht nicht schön genug?« Zweitens wird in der Bibel — die seltsamerweise fast immer auf seiten der Regierung steht — ausdrücklich mitgeteilt, daß Kain nach dem bekannten Zwischenfall mit seinem Bruder Abel von Gott dem Herrn mit dem Großen Touristen-Fluch belegt wurde: Unstet und flüchtig sollst du sein auf Erden ... Und drittens hält die Regierung das Reisen nur dann für wünschenswert, wenn es sich auf einer Einbahnstraße vollzieht, und zwar auf der nach Israel führenden. In jeder andern Richtung ist es verwerflich. Die Regierung krümmt sich schon bei dem bloßen Gedanken, daß ein israelischer Bürger das bißchen Geld, das er im alttestamentarischen Schweiße seines Angesichts verdient hat, irgendwo anders ausgeben könnte, vielleicht gar in einem jener Länder, aus denen es durch die aufopfernde Sammeltätigkeit jüdischer Organisationen nach Israel gekommen ist. Das wäre ja gerade so, als wollte sich ein Schnorrer für die milden Gaben, die er bei seinem Rundgang durch ein Kaffeehaus eingesammelt hat, an Ort und Stelle einen Kaffee bestellen ...

Unter solchen Umständen ist es kein Wunder, daß die Regierung jeden potentiellen Auslandsreisenden mit scheelem Blick betrachtet.

»Also ins Ausland wollen Sie fahren«, brummt sie mißmutig. »Nun ja. Warum nicht. Wir leben in einem freien Land. Wenn Sie sich nicht genieren, das auszunützen, dann fahren Sie eben. Und dann knöpfen wir Ihnen eine so hohe Ausreisegebühr ab, daß Sie Ihr letztes Hemd verkaufen müssen, um sie zu bezahlen.«

Damit beginnt, kaum daß die Reisesaison einsetzt, das Unternehmen »Letztes Hemd«. Zahllose Israelis beteiligen sich daran, während Geheimagenten der hintergangenen Regierung alle Fremdenverkehrsgebiete des Erdballs überwachen und Warnungen für die Verräter aus Israel zurücklassen. Man ist nirgends mehr sicher. Selbst auf einer Säule der Akropolis wurde vor kurzem eine Inschrift entdeckt, die in wohlgeformten hebräischen Lettern besagte:

»WAREN SIE SCHON IN TIBERIAS, SIE SCHMOCK?«

Zur Steuer der Wahrheit muß jedoch festgestellt werden, daß aus rein technischen Gründen (unter denen der Mangel an geeigneten Massentransportmitteln besonders ins Gewicht fällt) niemals die ganze Bevölkerung Israels während der Sommermonate das Land verlassen kann. Im Gegenteil spielen diejenigen, denen das glückt, die beklagenswerte Rolle einer verfolgten Minderheit.

Ich wurde dieses Phänomens zum erstenmal gewahr, als ich unsrem Wohnungsnachbarn, einem gewissen Felix Seelig, von unsrer Absicht erzählte, im kommenden Sommer den europäischen Kontinent zu bereisen. Ich hatte ihm das als Freund erzählt, damit er teilhabe an unsrer Vorfreude. Aber er reagierte ganz anders. Er wurde blaß, lehnte sich gegen die Mauer und begann zu röcheln.

»Das ist ja reizend«, röchelte er. »Und wohin soll die Reise gehen, wenn ich fragen darf?«

»Zuerst nach Rhodos — von dort nach Italien — in die Schweiz — Frankreich — England — vielleicht sogar Amerika ...«

»Ist das alles?« fragte mein Nachbar. Dann straffte er sich mühsam, preßte zwischen schmalen, blutleeren Lippen ein gehässiges »Bon voyage, mein Herr!« hervor und ließ mich stehen.

Ich war verblüfft und ratlos. Hatte ich ihn vielleicht gekränkt? Und wodurch? Für alle Fälle wollte ich mich am nächsten Tag bei ihm entschuldigen, aber er übersah meinen Gruß und wechselte auf die andere Straßenseite.

Dafür trat die Dame aus dem oberen Stockwerk mit blitzenden Augen auf mich zu:

»Ist es wahr?« zischte sie. »Und wohin?«
»Nach Rhodos — dann nach Italien — dann —«
»Danke. Das genügt. Auf Wiedersehn, mein Herr!«
Kein Zweifel: gegen uns war ein organisierter gesellschaftlicher Boykott im Gang. Eine Zeitlang wagte ich mich überhaupt nicht an die Öffentlichkeit und verließ unsre Wohnung nur im Schutze der Nacht. Aber selbst da lief mir einmal ein Hausbewohner über den Weg.
»Eine Woche in Rhodos«, sprudelte ich eilig hervor. »Nur in Rhodos. Nur eine Woche.«
»Nur?« erklang das gallige Echo. »Nur?!«
Wenigstens verzichtete er darauf, auch noch »Mein Herr!« zu sagen. Das war ein Fortschritt. Ich befand mich offenbar auf der richtigen Spur zum richtigen Ton. In den letzten Tagen vor unsrer Abreise sagte ich jedem, der nach unsrem Reiseziel fragte (und es fragte fast jeder):
»Ein wenig ans Meer. Baden. Und vielleicht angeln.«
Das ließ man hingehen.

Wir hatten Israel seit mehr als einem Jahrzehnt nicht verlassen. Jetzt fühlten wir uns wie Storchenjungen, die dem elterlichen Nest entflattern wollen und ihre noch ungelenken Flügelchen spreiten, ohne zu wissen, wie weit sie auf diese Weise kommen würden, wann und wo sie landen sollten und ob sie mit dem spärlichen Devisenbetrag, den man Storchenjungen bewilligt, ihr Auslangen fänden.
Am Stadtrand von Tel Aviv gibt es eine kleine Höhle. Dort lebt eine alte Eule, die im Rufe großer Weisheit steht. Sie hat diese Weisheit in langen Jahrzehnten und auf vielen Reisen erworben, hat unzähligen Gefahren getrotzt und unzählige Paß- und Zollrevisionen mit heiler Haut

überstanden. Wenn es irgendwo auf der Welt Rat zu holen gab, dann hier. Die alte Eule heißt Lipschitz.
Eines Morgens fuhren wir zu dem Gehölz hinaus, in dem jene Höhle versteckt ist. Lipschitz saß reglos auf einem knorrigen Ast und blinzelte uns aus weisen Augen entgegen.
»Ehrwürdiger«, begann ich zaghaft. »Wie? Wann? Woher? Wohin? Und vor allem: warum?«
»Bitte Platz zu nehmen«, sagte Lipschitz, schlüpfte in seine Höhle und kam mit einem Tee zurück. Dann erteilte er uns eine Lektion in Weltreisen. Und er begann wie folgt:
»Die meisten Menschen glauben, daß Geld alles ist. Sie haben recht. Nicht nur wegen der hohen Preise, sondern vor allem deshalb, weil man im Ausland nur schwer ein Darlehen aufnehmen kann. Wer da sagt: ›Ich werde mir schon auf irgendeine Art ein paar Dollar verdienen‹, der weiß nicht, was er redet. Denn warum sollte ein Fremder sich freiwillig auch nur von einem einzigen Dollar trennen, um ihn freiwillig einem anderen Fremden zu geben, noch dazu einem Juden?«
»Rabbi«, sagte ich, »ich kann singen.«
»Mein Sohn«, sagte Lipschitz, »sprich keinen Unsinn. Nimm den ganzen Geldbetrag, den dir unsre Regierung bewilligen wird, befestige ihn mit einer Sicherheitsnadel im unzugänglichsten Winkel deiner geheimsten Tasche und rühr das Geld nicht an, außer um dich davon zu ernähren, und selbst das mit Vorsicht. Niemals — hörst du: niemals, nun und nimmer — iß in einem Restaurant, dessen Personal aus mehr als einem einzigen mageren Kellner besteht oder wo dein Teller von unten mit Kerzen angewärmt wird! Jeder Wachstropfen scheint in der Rechnung auf, und da es ihrer viele sind, wirst du die Rechnung nicht bezahlen können. Aus demselben Grund sollst du auch nie-

mals, nun und nimmer etwas bestellen, was nur in französischer Sprache auf der Speisekarte steht. Wenn du zwei halbe hartgekochte Eier als ›Canapés d'oeufs durs au sel à la Chateaubriand‹ angeschrieben siehst, nimm deinen Hut, falls du um diese Zeit noch einen hast, und entferne dich fluchtartig. Für Frankreich gilt das natürlich nicht. Aber dort gibt es eine andre, noch gefährlichere Falle. Man erkennt sie an der Aufschrift: ›Billige Touristen-Mahlzeiten‹. Der Sohn des Maharadscha von Haidarabad geriet einmal in eines dieser Lokale. Am nächsten Tag wurden die Reste seines Vermögens unter Zwangsverwaltung gestellt ...«
»Rabbi«, wagte ich zu unterbrechen, »ich gehe nicht auf Reisen, um zu essen, sondern um zu reisen.«
»Desto besser«, antwortete Lipschitz, die Eule, und zwinkerte mit den Augen. »Dann wollen wir die Attraktionen, die eine solche Reise bietet, der Reihe nach betrachten. Nimmst du deine Frau mit?«
»Ja.«
»Damit entfällt der erste Punkt. Bleiben noch Landschaft, Theater, Museen und Familieneinladungen. Landschaft ist kostenfrei, mit Ausnahme der Schweiz, wo man für jeden Kubikmeter Luft eine Mindestgebühr von sfr 1.50 entrichten muß, gerechnet vom Meeresspiegel an. Die Gebühr steigert sich mit der Höhe der Berge. Und vergiß nicht, daß die Bergluft ihrerseits den Appetit steigert, so daß du dann noch mehr Geld fürs Essen brauchen wirst. Mit dem Theater ist es verhältnismäßig einfach. Im Foyer eines jeden Theaters steht, meistens links vom Kassenschalter, ein gutgekleideter Herr und kaut an seinen Nägeln. Auf diesen Herrn mußt du kurz vor Beginn der Vorstellung zustürzen und ihn mit einem hebräischen Redeschwall überfallen, aus dem sich in wohlbemessenen Abständen Worte wie ›Artist ... Kritik ... Studio ... hervorheben. Daraufhin wird er

überzeugt sein, einen arabischen Theaterdirektor vor sich zu haben, und wird dir eine Freikarte geben. In Strip-tease-Lokalen kommst du mit diesem Trick nicht durch. Es gibt allerdings Anlässe, wo sogar ich meine ökonomischen Grundsätze vergesse . . .«

Lipschitz schwieg eine Weile versonnen vor sich hin, ehe er fortfuhr:

»Wenn du in einer großen Straße an ein Portal kommst, das von zwei steinernen Löwen flankiert wird, tritt ohne Zaudern ein, denn es ist ein Museum. Wenn du drinnen bist, verlaß dich nicht auf deinen Instinkt, sondern schließe dich der Reisegesellschaft an, die von einem erfahrenen Führer durch die Räume gesteuert wird und alles von ihm erklärt bekommt. Sollte der Führer zornige Blicke nach dir werfen, dann wirf sie ihm zurück. Nach Beendigung der Museumsführung besteigst du den Autobus der Reisegesellschaft und nimmst an der Stadtrundfahrt teil. Im übrigen sei auf der Hut und betritt niemals ein Museum, ohne für zwei Tage Proviant mitzunehmen. Es ist schon oft geschehen, daß sorglose Besucher sich in den langgestreckten Hallen verirrten und kläglich verhungern mußten. Im Britischen Museum werden beispielsweise bei jeder Frühjahrsreinigung neue Skelette entdeckt . . . Was noch? Richtig, die Familieneinladungen. Sie sind, das darfst du mir glauben, überhaupt kein Spaß. Dafür kosten sie dich ein Vermögen, weil du der Hausfrau Blumen bringen und nachher mit dem Taxi nach Hause fahren mußt.«

»Erhabener«, sagte ich, »das alles ist gut und schön, aber vorläufig bin ich ja erst beim Kofferpacken.«

»Packe deine Koffer mit Weisheit«, mahnte die Eule. »Und nimm nur wenige Koffer mit, denn in jedem Land wird dein Gepäck sich um einen neuen Koffer vermehren, auch wenn du gar nichts einkaufst. Sobald dein Zug in die Ankunftshalle rollt, brüllst du nach einem Träger. Verbirg dein Minderwertigkeitsgefühl und mache keinen Versuch, deine Koffer selbst zu tragen. Nach einer Weile mußt du ja doch einen Träger nehmen und ihm so viel zahlen, als hätte er dein Gepäck von Anfang an geschleppt. Zahle ihm aber nicht mehr als die Taxe, mag er vor Anstrengung noch so stöhnen oder einen epileptischen Anfall vortäuschen. Ebenso mußt du dich im Hotel sofort vergewissern, ob das Service im Zimmerpreis enthalten ist oder nicht. Die diesbezüglichen Verhandlungen mit dem Portier darfst du auf keinen Fall in der Landessprache führen. Warum sollst *du* den Nachteil haben, zu stottern und nach Worten zu suchen? Laß *ihn* stottern und nach Worten suchen! Sprich in Paris englisch, in London französisch, in Italien deutsch. In Griechenland sprich nur hebräisch, weil sie dort alle anderen Sprachen kennen.«

»Und was soll man auf eine Reise nach Europa mitnehmen, Rabbi?«

»Unbedingt einige elektrische Birnen in der Stärke von 200 Watt. Selbst in den Luxushotels ist die Zimmerbeleuchtung so schwach, daß du nur die balkendicken Überschriften der Zeitung lesen kannst, die du dir überflüssigerweise schon in der Nacht gekauft hast. Und vergiß nicht, deine Privatbirne am Morgen wieder abzuschrauben. Ferner mußt du — da es in den besseren Hotels verboten ist, Mahlzeiten auf dem Zimmer zuzubereiten — für eine unauffällige Entfernung der Speisereste sorgen. Am besten formst du aus den Überbleibseln eine solide Kugel, die du kurz nach Mitternacht aus dem Fenster wirfst. Das ist die Ausfuhr. Schwieriger verhält es sich mit der Einfuhr der für die Zubereitung einer Mahlzeit nötigen Materialien. Besonders mit den Milchflaschen hat man die größten Schwierigkeiten. Es empfiehlt sich daher die Anschaffung eines Geigenkastens oder einer Hebammentasche, in der erstaunlich vieles Platz findet. Die elektrische Heizplatte, die du zum illegalen Kochen verwendest, darfst du nicht in deinem Koffer verstecken. Dort wird sie vom Zimmermädchen entdeckt. Du tust sie besser in den Kleiderschrank, der niemals gereinigt wird ...«

Eine neuerlich entstehende Pause nützte ich aus, um selbst das Wort zu ergreifen. Denn ich wurde allmählich ein wenig ungeduldig.

»Schon gut, Lipschitz«, sagte ich. »Ich weiß jetzt über alles Bescheid, nur über das Trinkgeld noch nicht. Was ist's damit? Wieviel, wem und wann?«

»Das ist ein echtes Problem.« Die Eule nickte sorgenvoll. »In den Restaurants gibt man für gewöhnlich zehn Prozent vom Gesamtbetrag, im Theater fünfzehn Prozent von der Kragenweite des Billeteurs, und für eine Auskunft, wo die gesuchte Straße liegt, fünf Prozent vom Alter des Auskunftgebers. Wer sichergehen will, gibt das Trinkgeld in kleinen Münzen, und zwar so lange, bis der Empfänger zu lächeln beginnt. Bei Taxichauffeuren kann das leicht ruinös werden, denn Taxichauffeure lächeln nie. Hier zahlt man so lange, bis der Mann zu schimpfen aufhört. Zahle nicht eher, als du und dein Gepäck sicher auf dem Straßenpflaster stehen. Sonst gibt er in einer plötzlichen Aufwallung Gas und ist mit zweien deiner Koffer verschwunden.«

Die Eule holte tief Atem und kam zum Schluß:

»Vergiß niemals, daß du kein Mensch bist, sondern ein Tourist. Laß dich von scheinbaren Gegenbeweisen nicht narren. Die Höflichkeit der Eingeborenen gilt deiner Brieftasche, nicht dir. Du bist für sie nichts als eine Quelle rascher, müheloser Einnahmen. Dich persönlich können sie nicht ausstehen, um so weniger, je besser du ihre Sprache sprichst. Dann werden sie mißtrauisch und fürchten, daß

du ihnen auf ihre Schliche kommst ... Und noch etwas: nimm nie ein Flugzeug. Schiff und Eisenbahn bewahren dich vor dem schlimmsten Alpdruck, der dem Reisenden droht. Ich meine jene verhängnisvolle Minute, wenn sämtliche Gepäckstücke sämtlicher Reisenden in Reih und Glied zur Zollabfertigung bereitstehen, nur deines nicht, und wenn du auf deine immer verzweifelteren Anfragen immer unwirschere Antworten bekommst: ›Keine Gepäckstücke mehr da ... nein, kein einziger Koffer ... das wissen wir nicht.‹ Schließlich taucht aus dem Hintergrund ein freudestrahlender Träger auf und läßt dich wissen, daß deine Koffer irrtümlich nach Kairo gegangen sind. Das meine ich. Fahr mit dem Schiff nach Europa, mein Sohn. Dann hast du noch ein paar friedliche Tage, bevor die wahre Qual des Reisens beginnt ...«
Die Eule namens Lipschitz zwinkerte und schloß dann beide Augen zugleich. Wir waren entlassen.

Morris, wo bist du?

Das erste authentische Buchkapitel, handelnd von den Wundern fremdländischer Länder und von der faszinierenden Geschichte der Insel Rhodos; im Hintergrund einige Millionen Schmetterlinge, die sich in der blauen Luft schaukeln. — Der Autor unterbricht die Aufzeichnung der Reisechronik und führt statt dessen bittere Klage über die Unfähigkeit seines Heimatlandes, die Bibel für den Fremdenverkehr auszuwerten.

Drei Tage lang lümmelten wir in den Deckstühlen an Bord des Stolzes der israelischen Handelsmarine, der SS »Jerusalem«. Am dritten Tag weckten uns laute Freudenschreie, die auf dem ganzen Schiff widerhallten: »Land! Land!«
Vor uns, geheimnisvoll von Morgennebel umhüllt, tauchten die Umrisse der Insel Rhodos auf, von deren märchenhafter Schönheit uns viele Passagiere verzückt erzählt hatten. Es sei etwas absolut Einmaliges, sagten sie. Überwältigendes Panorama. Ewiger Sonnenschein. Billige elektrische Bügeleisen. Ein Traum.
Geistig waren wir auf die Landung seit langem vorbereitet. Gleich als wir in See stachen, hatte uns das Schwarze Brett eine gemeinsam mit den Inselbehörden organisierte Tour zu einem landschaftlichen Weltwunder angekündigt, zum »Tal der Millionen Schmetterlinge«. Die Routiniers unter uns, die das schon kannten, erinnerten sich mit träumerischen Augen an die unübersehbaren Mengen der buntfarbigen Geschöpfe mit ihren hauchzarten Flügelchen ... und wie sie im Sonnenschein glitzerten ... und wie sie sich vom azurnen Himmel abhoben ... und welch einen unvergeßlichen Anblick sie boten ...
Kaum hatte die »Jerusalem« Anker geworfen, als sie auch schon von einer Unzahl eingeborener Motorboote umschwärmt war, die danach lechzten, uns an Land zu bringen. Ich beugte mich über die Reling und winkte einen der Bootsmänner herbei, einen stämmigen alten Seebären mit blitzenden Augen. Eingedenk der Ermahnungen, die mir die Eule Lipschitz mitgegeben hatte, erkundigte ich mich im voraus nach dem Fahrpreis:

»How much? Wieviel? Combien?«
»Cinquecento!« rief der Alte zurück.
»Hahaha!« Ich stieß ein selbstbewußtes Lachen aus und ließ mich durch meine mangelnden Italienischkenntnisse nicht einschüchtern: »Sechstausend Lire und keinen Peso mehr!«
»Gut.« Mit überraschender Schnelligkeit gab der Alte nach. Wir torkelten den Laufsteg hinunter und sicherten uns einen Platz in der Nähe des Lenkrades.
Der Seebär wartete geduldig, bis sein Kahn überfüllt war und zu kentern drohte. Dann warf er den Motor an. Dröhnend und prustend begann der Weg über die dreihundert Meter, die uns vom Ufer trennten. Zufällig betrug auch die Stundengeschwindigkeit des Motorboots dreihundert Meter. Das benützte der Alte, um uns mit der Geschichte der Insel Rhodos vertraut zu machen, wobei er sich gleichzeitig dreier Sprachen bediente. In einsprachiger Notübersetzung lauteten seine Mitteilungen ungefähr wie folgt:
»Vor langer Zeit waren wir von den Römern besetzt. Dann waren wir von den Byzantinern besetzt, die so lange blieben, bis uns die Moslems besetzten. Dann besetzten uns die Johanniter. Sie bauten Rhodos zu einer Festung gegen die Türken aus, konnten aber nicht verhindern, daß wir schließlich doch von ihnen besetzt wurden. Nämlich von den Türken. Nach den Türken kamen die Italiener. Und was taten die Italiener? Sie besetzten uns. Allerdings waren wir dann eine Zeitlang wieder von den Türken besetzt, bis die Italiener zurückkamen. Dann kamen die Deutschen, dann kamen die Griechen, und dort halten wir jetzt.«
Auf unsre Frage nach der besten aller bisherigen Besetzungen kratzte sich der alte Seebär den Hinterkopf und meinte, daß es da eigentlich keine großen Unterschiede gäbe. Hauptsache, man wäre besetzt und bliebe von der Unab-

hängigkeit verschont, die doch nur höhere Steuern brächte. Gegen den derzeitigen Zustand hätte er schon deshalb nichts einzuwenden, weil er selbst von Griechen abstamme. Seine Söhne hingegen seien Türken. Es könne sich aber auch umgekehrt verhalten — bei diesem ständigen Hin und Her von Besetzungen wüßte man das nie so genau. Dann schilderte er uns in kurzen Worten die Wichtigkeit der besetzten Insel in neuerer Zeit: zum Beispiel sei hier im Jahre 1948 der Waffenstillstand zwischen den Arabern und den verdammten Juden unterzeichnet worden. Wir machten den alten Seebären schonend darauf aufmerksam, daß wir den letztgenannten zugehörten, worauf er sich mit der glaubwürdigen Erklärung entschuldigte, daß er uns auf Grund unserer gutturalen Sprechweise für verdammte Araber gehalten hätte.

Unter derlei munteren Gesprächen wurde unser Boot schließlich an Land gezogen und vertäut. Die Erlebnishungrigen unter uns sahen sich außerstande, auf den versprochenen Charterautobus zu warten, der uns zum »Tal der Millionen Schmetterlinge« bringen sollte. Wir hielten Ausschau nach einem Taxi.

Der Chauffeur bemühte sich, den Fahrpreis auf unsre Begeisterungsfähigkeit abzustimmen:

»Sie dürfen diese Fahrt um Himmels willen nicht versäumen«, beschwor er uns. »Es würde Ihnen für den Rest Ihres Lebens leid tun. Touristen aus der ganzen Welt, darunter die berühmtesten Botaniker, Ornithologen, Lepidopterologen und Gynäkologen kommen eigens hierher, um das Tal der Millionen Schmetterlinge zu sehen . . .«

So feilschten wir noch eine Weile fort, bis wir endlich, erschöpft und schweißgebadet, in dem klapprigen Fahrzeug verstaut waren und losrumpelten. Der Fahrer tat das Seine, um unsere Erwartungen ins Maßlose zu steigern. Wir wür-

den, so sagte er, ein übernatürliches Naturphänomen zu sehen bekommen, das in der ganzen Welt kein Gegenstück besäße und von dem nur Gott allein wisse, wie es überhaupt zustande gekommen sei. Einer bestimmten wissenschaftlichen Theorie zufolge strömten die Bäume dieser Gegend zur Blütezeit ein ganz besonderes Aroma aus, das die liebestrunkenen Schmetterlinge von weither anlockte, bis sie, zu fast schon undurchdringlichen Wolken geballt und alle Regenbogenfarben spielend, das ganze Tal erfüllten.
Als wir dem Wagen entstiegen, fieberten wir vor Erregung. Dicht vor uns ragte ein Berg mit einem gewundenen Fußpfad auf, der durch einen großen Wegweiser gekennzeichnet war: »300 m zum Tal der Millionen Schmetterlinge.«
Der Fahrer empfahl uns, Distanz zu halten, damit die Schmetterlinge nicht über uns herfielen. Wir schlugen seine feige Warnung in den Wind. Das heißt, wir hätten sie in den Wind geschlagen, wenn es einen Wind gegeben hätte. Es gab aber keinen Wind. Es war drückend heiß und vollkommen windstill. Nun, das focht uns nicht an. Wir begannen den Aufstieg.
An einer Biegung des engen Wegs erwartete uns ein Mann mit einer imposanten Armbinde, der sich als offizieller, von der Regierung entsandter Führer vorstellte. Wir verhielten uns ablehnend, aber er bestand darauf, uns zu führen — auch als wir ihm erklärten, daß wir nichts zahlen würden.
»Zahlen?« fragte er erstaunt. »Wer spricht von zahlen?«
Da wir rein menschlich gegen den Mann nichts einzuwenden hatten, ließen wir ihn mitgehen. Er setzte sich sofort an die Spitze und begann — offenbar selbst aufs tiefste beeindruckt — die Schönheiten der Gegend zu lobpreisen:
»Zur rechten Hand — ja, dort, folgen Sie meiner Arm-

bewegung — dort sehen Sie einen Wald. Links schäumt ein Bach dahin. Entlang dieses Baches führt der Weg, den wir jetzt gehen. Darüber das berühmte Blau des berühmten Himmels von Rhodos ...«

Nachdem wir eine halbe Stunde gestiegen und von unsrem Führer auf alle verborgenen Wunder der Natur hingewiesen worden waren, raffte sich ein weibliches Mitglied unsrer Gruppe zu einer Frage auf:

»Wann bekommen wir endlich die Schmetterlinge zu sehen?«

Zufällig standen wir gerade vor einem Wegweiser mit der Aufschrift »800 m zum Tal der Millionen Schmetterlinge«. Unsere Blicke richteten sich scharf auf den Führer. Er meinte, daß wir uns keine Sorgen machen sollten — wahrscheinlich hätten sich die Schmetterlinge ins Innere des Tals zurückgezogen.

»Aber wenn Sie müde sind, können wir umkehren«, fügte er hinzu.

»Umkehren?« klang es ihm höhnisch entgegen. »Umkehren und keine Schmetterlinge sehen? Los, gehen wir!«

Die Steigung wurde immer stärker, die Hitze immer drükkender. Verbissen kletterten wir weiter und bemühten uns, keine Nervosität zu zeigen.

Der Schreiber dieser Zeilen hat in seinem ereignisreichen Leben mehrere Wälder gesehen und in jedem von ihnen mehrere Schmetterlinge; wenn auch nicht Millionen von ihnen, so doch mehr als einen. Und gerade hier, gerade in diesem weit hingestreckten Wald, sollte es keinen einzigen Schmetterling geben?

Sogar dem Führer schien das allmählich aufzufallen. Er trat in immer kürzeren Intervallen an die zunächststehenden Bäume heran, schüttelte sie und ließ dazu den Begattungsruf der Schmetterlingsweibchen hören, wie ihn die

Eingeborenen auf Rhodos von den byzantinischen Besatzungstruppen gelernt hatten. Aber er fand keine Abnehmer.
»Wollen wir nicht doch umkehren?« fragte er schließlich mit drängender Stimme und einem Ausdruck von animalischer Furcht in den Augen.
Wir ließen ihn nicht im Zweifel, daß wir keinen Schritt zurück tun würden, ohne die von der Regierung bindend zugesagten Schmetterlinge gesehen zu haben.
Wortlos erkletterte der Mann einen spitz emporragenden Felsblock und ließ seinen Arm bis zur Schulter in einer oben befindlichen Spalte verschwinden. Nach einer Weile vergeblichen Wühlens zog er ihn wieder hervor.
»Was ist denn heute los«, brummte er mißmutig. »Hier hat's doch immer einen gegeben ... mit weißen Streifen ... Morris!« brüllte er in die Spalte. »Morris!«
Nichts geschah. Reglos, stumm und vorwurfsvoll umstanden wir den Führer. Wir waren etwa zehn Kilometer von unsrem Taxi entfernt. Die Atmosphäre ließ deutlich Zeichen von Spannung erkennen.
Sie lockerte sich jäh, als eine Gruppe von Ausländern, halb tot vor Erschöpfung, den schmalen Pfad heruntergewankt kam. Einige von ihnen brachten ein aufmunterndes Keuchen hervor:
»Es ist jede Mühe wert. Es ist einfach phantastisch. Man muß es gesehen haben.«
Damit wankten sie weiter.
Der Führer warnte uns, daß wir noch gut die Hälfte des strapaziösen Wegs vor uns hätten. Wir ließen uns nicht abschrecken und klommen aufwärts.
Schweißgebadet erreichten wir den Gipfel. Und da, gleißend im Sonnenlicht, lag das Tal der Verheißung! Satte, grüne Triften, von farbenprächtigen Blumen durchwirkt,

rauschende Baumwipfel, ein linder, kühler Wind, alles, alles ...
»Wo sind die Schmetterlinge?!« brüllten wir ohne jede Verabredung im Chor.
Unvermittelt warf der Führer die Arme hoch und setzte in weiten Sprüngen zur Flucht an. Glücklicherweise befand sich in unsrer Hintermannschaft ein bewährter Rugbyspieler, der ihn mit einem fliegenden Tackling zur Strecke brachte.
»Die Schmetterlinge sind schon schlafen gegangen«, ächzte der überwältigte Regierungsbeamte. »Oder vielleicht haben sie heute in einer andern Gegend zu tun.«
Dann langte er mit zitternder Hand in seine Hemdtasche und zog einen toten Schmetterling hervor.
»Hier ... das ... so sehen sie aus«, stotterte er. »Einer wie der andre. Wenn man einen gesehen hat, hat man alle gesehen ...«
Wir besichtigten das Exemplar. Es war ein gut entwickeltes Männchen mit braunen Flügeln und einer Andeutung von gelb an den Spitzen. Der linke Flügel war leicht lädiert.
Ich fragte den Führer, wie viele Touristen jährlich die Insel besuchten. Er schätzte, daß es allein während der Schmetterlings-Saison mindestens eine Million sein müsse.
Ich dankte ihm und schnitzte mit meinem Taschenmesser die folgende Inschrift in den Stamm des nächsten Baumes:

WANDERER, KOMMST DU NACH SPARTA, VERKÜNDIGE DORTEN, DER LETZTE
RHODOS-SCHMETTERLING STARB, DA NOCH BYZANZ HIER REGIERT.

Als unsrem Führer innewurde, daß wir ihn nicht zu lynchen planten, gewann er seine Haltung zurück und wollte mit der ganzen Geschichte plötzlich nichts zu tun haben.

Niemand, so beteuerte er, hätte die leiseste Ahnung, warum dieses Tal das »Tal der Millionen Schmetterlinge« hieß. Kein einziger Schmetterling sei hier jemals gesichtet worden. Wahrscheinlich brächen sie schon auf dem Weg hierher zusammen.

Jetzt wollten wir wenigstens wissen, warum das Tal so auffallend schmetterlingsfrei wäre? Wie sei das zu erklären? Durch DDT? Durch ein andres Vertilgungsmittel? Wie?

»Ich weiß es wirklich nicht«, murmelte der Ärmste. »Meine einzige Erklärung ist, daß ein Schmetterling, selbst wenn er sich einmal in der Zeit hierher verirrt, gleich wieder wegfliegt, weil er sich langweilt ...«

Aus humanitären Erwägungen gaben wir ihm ein Trinkgeld. Er begann haltlos zu schluchzen. So etwas war ihm noch nie passiert, seit es das Tal der Millionen Schmetterlinge gab ...

Auf dem Rückweg versuchten wir, ein paar Fliegen oder Moskitos stellig zu machen. Nicht einmal das gelang uns.

Am meisten jedoch erbitterte uns die Erinnerung an jene Lumpenbande, deren schurkische Vorspiegelungen uns auf halbem Weg ins Tal der Millionen Schmetterlinge weitergetrieben hatten ...

An einer Wegbiegung kam uns eine schwitzende Gruppe ausländischer Touristen entgegen.

»Wie sind die Schmetterlinge?« riefen sie erwartungsfroh schon von weitem.

»Phantastisch!« antworteten wir. »Millionen von ihnen! Unübersehbare Mengen in den tollsten Farben! Hoffentlich habt ihr Stöcke mit, falls sie über euch herfallen ...«

Auf allen vieren erreichten wir unser Taxi. Der Führer hatte die lange Wartezeit ausgenützt, um mit anderen Touristengruppen mehrere Abstecher zur »Höhle der heulen-

den Geister« zu machen. Was die Schmetterlinge betraf, so erklärte auch er sich für unzuständig.
»Wie soll ich wissen, ob es sie gibt oder nicht?« meinte er achselzuckend. »Ich war noch nie in diesem idiotischen Tal.«
Erst jetzt fiel uns auf, daß dieses Tal genauso idiotisch gewesen wäre, wenn es dort zufällig Schmetterlinge zu sehen gegeben hätte. Oder ist das vielleicht eine Beschäftigung für erwachsene Menschen, Schmetterlinge anzuglotzen? Ausgerechnet Schmetterlinge?

Eine Bitte an den geneigten Leser:
Der geneigte Leser möge nicht etwa glauben, daß ich ihm diese Schmetterlingsgeschichte in sarkastischer Absicht erzählt habe. Wenn es ein Land auf Erden gibt, das für die diversen Tricks des Fremdenverkehrs aufrichtige Bewunderung hegt, dann ist es unser kleines, armseliges Israel. Im Grunde sind wir ganz ähnlich dran wie Rhodos. Besäße Rhodos auch nur ein paar mittelgroße Pyramiden, so könnte es auf die Erfindung von Schmetterlingen glatt verzichten. Erfindungsgeist ist das Salz der Armen. Ausländische Besucher nach Italien zu locken, wo man auf Schritt und Tritt mit Statuen von Michelangelo zusammenstößt, ist keine Kunst. Auch versteht es sich von selbst, daß man in die Schweiz fährt, um auf ihren schneebedeckten Bergeshängen dem Skisport zu obliegen. Gar nicht zu reden von Frankreich mit seinem betörenden Gleichgewicht von Kathedralen und Restaurants.
In Israel hingegen werden Statuen, Schnee, Kathedralen und Restaurants auf eine geradezu sträfliche Weise vernachlässigt.

Auch wer kein Querulant ist, muß ernsthaft bemängeln, daß man bei uns noch nie den geringsten Bedacht auf die Erfordernisse des Fremdenverkehrs genommen hat. Jahrhundertelang saßen Griechen und Römer in unserm Land — und was haben sie hinterlassen, um es zu einem lohnenden Reiseziel für das Ehepaar Ginsberg aus der Bronx zu machen? Nichts als ein paar schäbige Säulen in Caesarea und einen Marmorkopf mit abgebrochener Nase in Askalon. Gewiß, laut biblischem Protokoll pflegte Samson durch die Straßen dieser Stadt zu schlendern. Aber was hilft uns das, wenn das offizielle Fremdenverkehrsamt bis heute vergebens nach des Esels Kinnbacken sucht, mit denen er damals, als er noch Haare hatte, die Philister zu Brei schlug ... Wirklich, wir sollten uns ein Beispiel an den Schmetterlingen von Rhodos nehmen. Sie führen uns so recht vor Augen, was wir alles nicht tun, um die touristischen Attraktionen auszuwerten, die dem Land der Bibel innewohnen.

KOMMEN SIE INS SONNIGE ISRAEL!

ist schon die einfallsreichste Propaganda, zu der sich unsere Werbeplakate aufschwingen. Dabei würde uns die Bibel so anziehende Texte ermöglichen wie:

SIE DURCHQUEREN TROCKENEN FUSSES DAS ROTE MEER,
WENN SIE IN ELAT WASSERSKI FAHREN!

Oder diesen, mehr für den männlichen Typ:

ANGLER — AUF NACH JAFFA!
DIE WALFISCHE WARTEN!
JEDER SEIN EIGENER JONAS!

Oder warum steht die Sonne nicht wenigstens einmal wöchentlich über Gibeon still, wie sie es für Josua im Krieg gegen die Amoriter mit größter Bereitwilligkeit getan hat? Das wäre doch eine Sensation:

LASSEN SIE SICH IN DER SONNE VON GIBEON BRÄUNEN!
24 STUNDEN STILLSTEHENDER BETRIEB!
NEU! EINMALIG! UNÜBERTROFFEN!

Aber woher denn. Auch in diesen Dingen hat Israel auf keine Unterstützung zu rechnen. Die Sonne bleibt nicht für eine Minute über Gibeon stehen, die Walfische sind in ruhigere Gewässer übersiedelt und schlucken keine Propheten mehr (sondern überlassen sie der Meteorologie), und Nazareth, wo Jesus gelebt und gewirkt hat, lebt zwar noch, aber es wirkt nicht mehr. Es ist eine typisch arabische Stadt geworden, mit der sich weit eher für Mohammed Reklame machen ließe, aber da ist uns Mekka leider schon zuvorgekommen. Bethlehem hingegen — bitte bedenken Sie: Bethlehem! — liegt in Jordanien, also jenseits unsrer Grenze, wenn auch nur ein paar Meter. Man kann den Stall, in dem der Nazarener geboren wurde, mühelos mit freiem Auge sehen. Die Grenze führt knapp an ihm vorbei. Das wurde von der Grenzziehungskonferenz so festgelegt.

Und wo fand diese Konferenz statt? Natürlich auf der Insel Rhodos.

Na ja. Was soll man schließlich von einer Insel erwarten, in deren »Tal der Millionen Schmetterlinge« kein einziger Schmetterling zu finden ist . . .

Von Statuen, Gelegenheitskäufen und Gondeln

Ein viel zu langes Kapitel, in dem der Autor versucht, sich von den sogenannten »Tatsachen« unabhängig zu machen. — Anspruch auf Sonderbehandlung, oder wie man vollkommen mühelos in den Genuß einer siebzigprozentigen Ermäßigung auf den italienischen Staatsbahnen gelangt. — Feldzug gegen die Spaghettigplage. — Ein Reiterstandbild für jeden Haushalt. — Haben Luigis Frau und seine Schwiegermutter recht, und wo zum Teufel ist das Hotel Excelsior? — Pappa kauft ein Zauberpulver und bekommt keinen Kuß. — Der Schiefe Turm von Pisa steht in Wahrheit kerzengerade. — Heiliger Krieg gegen die venezianischen Gondolieri. Niederlage im Trinkgelddschungel.

Wir sind in unsrem Reisebericht an einem kritischen Kreuzweg angelangt und müssen Sie, geneigter Leser, mit bestimmten revolutionären Grundsätzen bekanntmachen, die uns bei der Niederschrift dieses Buches geleitet haben. Warum sich das so verhält, wissen wir nicht: aber es ist nun einmal in der gesamten Weltliteratur üblich, daß ein Autor bei der Abfassung eines Romans, einer Novelle, eines Theaterstücks und besonders eines Gedichts alles niederschreiben kann, was ihm gerade in den Sinn kommt. Nur bei Reiseberichten — und *nur* bei Reiseberichten — muß er sich an die Tatsachen halten. Der Autor des vorliegenden Reiseberichts berechnete, daß er, um dem eben formulierten Anspruch der Tatsachen gerecht zu werden, zehn bis fünfzehn der besten Jahre seines Lebens darauf verwenden müßte, sämtliche Quellen zu studieren, unter den jeweils geschilderten Völkerschaften zu leben, ihre Geschichte und ihre Statistiken zu durchforschen und dergleichen mehr. Aber das fällt ihm gar nicht ein. Dazu hat er weder die nötige Zeit noch das nötige Geld. Außerdem ist er fest überzeugt, daß gerade der erste Eindruck, gleich nach Verlassen des Flugzeugs, des Schiffs oder der Eisenbahn, das einzig richtige Bild eines fremden Landes und eines fremden Volkes vermittelt. Wer den Fehler begeht, sich längere Zeit in einem Land aufzuhalten, beginnt allmählich zu verstehen, was man ihm erzählt, wird durch allerlei Sehenswürdigkeiten abgelenkt, entdeckt vorzügliche Restaurants, lernt nette Leute kennen und verliert, kurzum, jene Fähigkeit zur vorurteilslosen Betrachtung, die er bei seiner Ankunft in so durchdringendem Maße besaß.

Keine solche Gefahr hat uns auf unsrer Reise bedroht, denn wir machten es uns zum Prinzip, nirgends länger als ein paar Tage zu bleiben. Daher die strotzende Kraft und Unmittelbarkeit dieses Buchs, seine enzyklopädische Befassung mit scheinbaren Nebensächlichkeiten, seine einwandfreie, von Fakten und Ziffern garantiert unabhängige Zuverlässigkeit. Literarisch gehört dieses Buch in die von den Angelsachsen mit Recht geschätzte Kategorie der sogenannten »science fiction«.
Vielen Dank für Ihre freundliche Aufmerksamkeit. Wir sind mittlerweile in Rom angekommen.

Die leider allzu kurze Begegnung mit unsrer großen Liebe Italien hatte ihren Ursprung noch in Israel, als unser Reisebüro uns mitteilte, daß wir für alle Länder der Welt die nötigen Visa bekommen hätten, zur Erlangung des italienischen jedoch persönlich auf dem Konsulat erscheinen müßten. Warum? Weil der Antragsteller — mit anderen Worten ich — als bekannter Schriftsteller und Journalist Anspruch auf bevorzugte Sonderbehandlung hätte.
Auch gut.
Ich ging also aufs italienische Konsulat und reihte mich in die dichte Schlange der im Vorraum Wartenden ein.
Kaum eine Stunde später stand ich vor einem nervösen, sichtlich überlasteten Beamten, der nur italienisch sprach und mit einer himmelwärts gerichteten Handbewegung das Wort »giornalisti« hervorstieß. Damit wollte er mir zu verstehen geben, daß ich einen höher gelegenen Amtsraum aufsuchen müßte, weil ich Anspruch auf bevorzugte Sonderbehandlung hätte.
Auch gut.

Ich erklomm das oberste Stockwerk und macht dort jene zweite Sekretärin ausfindig, die man mir in den tiefer gelegenen Stockwerken als die für meinen Fall zuständige angegeben hatte. Sie teilte mir in italienischer Sprache mit, daß die italienische Regierung für bekannte Künstler und Wissenschaftler, die Italien besuchen wollen, einen besonderen Ausweis bereithielte, der dem Inhaber eine siebzigprozentige Fahrpreisermäßigung auf den italienischen Staatsbahnen zusichere und von ihm persönlich in Empfang genommen werden müsse, weshalb unser Reisebüro ... aber das wußten wir ja schon. Meine Ehefrau — die beste Ehefrau von allen, die mich immer und überall begleitet — konnte ihre Freude über diese Gunst des Schicksals nicht verbergen und beschloß an Ort und Stelle, für die solcherart eingesparte Geldsumme auf dem Florentiner Strohmarkt drei weitere Handtaschen zu kaufen. Ich meinerseits blätterte den Gegenwert von sechshundert Lire vor die Beamtin hin und wurde gebeten, mich am nächsten Tag zur Erledigung der restlichen Formalitäten nochmals einzufinden.

Auch gut.

Als wir pünktlich am nächsten Tag wieder bei der Sekretärin erschienen, erwies sich, daß sie uns den wundertätigen Ausweis leider nicht einhändigen konnte, weil das zu den unabdingbaren Vorrechten des italienischen Außenministeriums gehörte. Sie hatte jedoch schon drei dringende Telegramme nach Rom gerichtet, wo das Dokument im »Officio Stampa« für uns vorbereitet sei.

»Signorina«, widersprach ich auf italienisch, »ich habe nicht die Absicht, nach Rom zu fahren.«

»Sie müssen«, widersprach nun ihrerseits die Sekretärin. »Rom im Herbst ist einfach großartig.«

Ich machte ihr den Kompromißvorschlag, daß ich dann

eben meinen Anspruch auf Fahrpreisermäßigung diesmal nicht geltend machen würde, aber sie blieb unerbittlich: »Die italienische Regierung legt größten Wert darauf, daß Sie *ganz* Italien sehen!«
Auch gut.
Wir landeten in Neapel, sahen es und starben. Dann fuhren wir mit dem Zug nach Rom, vorläufig noch zu vollem Preis. Um drei Uhr früh kamen wir an und baten einen verschlafenen Taxichauffeur, uns zu einem billigen Hotel zu führen. Da er nur italienisch verstand, führte er uns zum Grand Hotel Majestic, das wir allen Millionären unter unseren Freunden aufs wärmste empfehlen können; es ist eine anheimelnde kleine Herberge mit süßen Zimmerchen, deren billigstes etwa dreißig Dollar kostet.
Auch gut. Schließlich wollten wir hier ja nur den Rest der Nacht verbringen.
Zeitig am nächsten Morgen machten wir uns auf den Weg zu unsrem Bestimmungsamt. Ich winkte ein Taxi herbei und gab mit souveräner Gleichmütigkeit das Fahrtziel an: »Officio Stampa!«
Eine halbe Stunde später waren wir am Forum Romanum gelandet, einem weiträumigen, außerordentlich eindrucksvollen Platz (wenn man von den abscheulichen Ruinen absieht). Ich wies den Fahrer auf die geringe Wahrscheinlichkeit hin, daß wir hier ein »Officio« finden würden, ganz zu schweigen von »Stampa«, aber auch er verstand nur Italienisch und setzte die Fahrt in Richtung Bologna fort. Unterwegs zu dieser wichtigen oberitalienischen Industriestadt widerfuhr uns das erste Wunder: unser Wagen wurde kurz vor Siena von einem Verkehrspolizisten aufgehalten, der ein paar Worte französisch sprach und uns informierte, daß »Officio Stampa« nicht, wie wir geglaubt hatten, der italienische Ausdruck für »Außenministerium« war, son-

dern so viel wie »Pressebüro« hieß, was natürlich die verschiedensten Deutungen zuließ.
Der Fahrer entschuldigte sich für das Mißverständnis, und von jetzt an lief alles wie am Schnürchen.

Das italienische Außenministerium erstreckt sich über rund dreihundert Morgen fruchtbaren Landes und ist in spätem Mussolini-Stil ganz aus Marmor gebaut. Um keine weitere Zeit zu vergeuden, steuerten wir direkt auf die beiden cherubinischen Schwertträger zu, die den Eingang bewachten, und fragten sie nach dem Weg zum Pressebüro. Der eine Cherub erwies sich als taubstumm und der andere verstand nur den lokalen Dialekt, nämlich italienisch. Um diese Zeit hatte die lebensspendende Mittelmeersonne ihren Zenit längst überschritten, so daß unsere Mägen vor Hunger die seltsamsten Geräusche von sich gaben. Es klang, als holperte eine alte Postkutsche über eine schlechtgepflasterte Straße. Auf diese Weise fanden wir das Officio.
Ein freundlicher Beamter empfing uns und lauschte mit großem Interesse unsrer weitschweifigen Erzählung vom Sonder-Ermäßigungs-Ausweis, der uns bei ihm erwarten sollte. Unglücklicherweise hatte der Beamte als einzige Sprache die seiner Mutter erlernt, einer Italienerin. Es fiel uns auf, daß aus dem Schwall seiner sichtlich von Komplimenten strotzenden Gegenrede immer wieder ein Wort hervorsprang, das »subito« hieß und weiter nichts zu bedeuten schien.
Dessenungeachtet.
Die beste Ehefrau von allen verlor dessenungeachtet nicht den Kopf und hielt dem Beamten in jähem Entschluß unsre heimische Presselegitimation unter die Nase, worauf er selig

zu lächeln begann und ein übers andre Mal »Israel! Israel!« ausrief. Dann stürzte er ins Nebenzimmer und kam mit einem andern Beamten zurück, den wir sofort als Juden agnoszierten, denn er hatte schwarzes Haar und begleitete seine Worte mit heftigen Gesten, wie alle Italiener. Wir waren gerettet. Der ewige Jude umarmte uns, faßte uns abwechselnd an den Schultern und jauchzte in einwandfreiem Hebräisch:
»Eichmann! Eichmann!«
Wir machten ihm klar, daß wir den versprochenen Ermäßigungsausweis dringend benötigten, weil wir sonst der Räuberbande vom Grand Hotel noch weitere dreißig Dollar in den Rachen werfen müßten.
Der ewige Jude versank in tiefe Gedanken. Dann sagte er:
»Eichmann!«
Das war keine ganz befriedigende Antwort, aber zum Glück erschien in diesem Augenblick der Direktor des Officio, ein eleganter, weltmännischer Typ, der fließend italienisch sprach. Er untersuchte meine Presselegitimation eine halbe Stunde lang, murmelte etwas, das wie »un momentino« klang, und schloß sich mit seinen Hilfskräften in einem nahe gelegenen Konferenzzimmer ein.
Gegen Abend kam er heraus und richtete eine gebärdenreiche Ansprache an mich, die kein Ende nehmen wollte.
»Sir«, unterbrach ich ihn schließlich und stützte mich, wie in allen derartigen Fällen, auf meine Englischkenntnisse. »Warum sprechen Sie italienisch mit mir, wo Sie doch sehen, daß ich kein Wort verstehe?«
Der Direktor jedoch verstand kein Wort, denn er sprach nur italienisch.
Abermals kam uns der ewige Jude zu Hilfe:
»Wir haben ja Interpreti!« rief er und klatschte sich mit der flachen Hand auf die Stirne.

Das bedeutete eine entschiedene Wendung zum Besseren, vielleicht gar einen Schritt zur Verwirklichung des Sozialismus in unserer Zeit. Wir sausten auf die Straße, durchquerten behende die Stadt und fanden in den angrenzenden Wäldern den offiziellen Dolmetsch der italienischen Regierung, einen verhältnismäßig jungen, gutgekleideten Mann, der uns mit der sprichwörtlichen italienischen Gastfreundschaft empfing. Er war ein unverkennbarer Intelligenzler, hatte summa cum laude an der Universität Padua in Kunstgeschichte promoviert und wußte, wie wir an Hand verschiedener von ihm ins Gespräch eingestreuter Namen feststellen konnten, auch in der italienischen Literatur vortrefflich Bescheid. Eigentlich hatte er nur einen einzigen Fehler; er sprach keine andere Sprache als Italienisch.
Nach einer Weile gab ich der besten Ehefrau von allen zu bedenken, ob wir nicht vielleicht besser täten, durch das Fenster in den wunderschönen Garten hinunterzuspringen und in der Dunkelheit zu verschwinden. Meine Gattin replizierte mit der unwiderleglichen Feststellung, daß siebzig Prozent schließlich siebzig Prozent wären. Ich fühlte meinen Haß gegen Florentiner Strohtaschen unheimlich wachsen.
Wir beschlossen, in das Büro des weltmännischen Officio-Direktors zurückzukehren: außer mir selbst noch meine Gattin, der Beamte, der ewige Jude, der Dolmetscher und ein neu hinzugekommener junger Mann, der uns fast pausenlos Witze in neapolitanischem Dialekt erzählte und sich dabei vor Lachen die Seiten hielt.
Im Officio angekommen, riß ich den Notizblock des Direktors an mich, zeichnete eine primitive Eisenbahn mit Rauchwölkchen darauf und ergänzte die graphische Darstellung durch folgenden Text:
»70% — giornalista — prego.«

Damit war unverkennbar etwas Licht in die bisher so dunkle Angelegenheit gekommen. Der Direktor ließ abermals die Worte »un momentino« fallen, griff nach einer in Leder gebundenen Ausgabe der Republikanischen Verfassung und begann sie auswendig zu lernen. Der neapolitanische Witzerzähler händigte mir unterdessen einen Stoß Formulare ein, die ich, wie mir der Dolmetsch erklärte, in deutlich lesbarem Italienisch ausfüllen sollte. Ich warf blindlings Ziffern, Daten und Wortbrocken aufs Papier. In Zweifelsfällen half ich mir mit »Spaghetti alla Bolognese.«
Nach Abschluß der Meinungsforschung packte mich der Neapolitaner am Arm und zog mich auf die Straße. Wir überquerten den Tiber und gelangten zu einem einsamen Gebäude am Stadtrand, wo wir eine Unzahl von Treppen hinaufeilten und vor einem kinokassenähnlichen Verschlag haltmachten. Als der Neapolitaner versuchte, mir die Brieftasche zu ziehen, gerieten wir in ein Handgemenge — bis mir dämmerte, daß er nur die sechshundert Lire für den Ermäßigungsausweis bei mir kassieren wollte. Mit Hilfe eines internationalen Code machte ich ihm begreiflich, daß ich bereits in Tel Aviv gespendet hatte, worauf er ein Kapitel aus Dantes »Inferno« rezitierte. Ich gab ihm sechshundert Lire.
Als wir zu unsrer Ausgangsbasis zurückkehrten, fand ich die beste Ehefrau von allen in einem alarmierenden Zustand: halb bewußtlos in ihren Sessel hingestreckt, aus glasigen Augen vor sich hin starrend und stoßweise atmend. Ich muß jedoch in aller Fairneß zugeben, daß auch der Stampa-Direktor schon seit zwölf Stunden nichts gegessen hatte. Er blätterte rastlos immer neue Listen durch und forschte nach meinem Namen. Plötzlich — ich werde diesen Augenblick nie vergessen — es war wie eine Erschei-

nung —: plötzlich erspähte ich auf einer solchen Liste ganz oben den Namen Kishon. Ich deutete zitternd auf die betreffende Stelle und rief mit vor Aufregung versagender Stimme:
»Mio! Mio! Mio!«
Der Direktor sah mich befremdet an und überschüttete mich mit einem neuerlichen Redeschwall, den ich zwar infolge meiner unverändert dürftigen Italienischkenntnisse nicht verstand, der mir aber an Hand der zahlreichen Gesten ungefähr folgendes zu bedeuten schien:
»Ja, ja. Bene, bene. Nehmen wir an, dies sei Ihr Name. Und nehmen wir an, dies sei ein Verzeichnis der Auslandsjournalisten, die auf Fahrpreisermäßigung Anspruch haben. Was weiter? Was weiter?«
Nach einer stummen, gedankenschweren Pause ließ der Direktor wieder einen seiner »momentinos« fallen, hob den Telephonhörer ab, nahm eine lange fernmündliche Instruktion seiner offenbar vorgesetzten Stelle entgegen und begann einen Bericht in acht Exemplaren auszufertigen, den er in den langsamsten Blockbuchstaben seit Julius Cäsar auf das Papier kerbte. Sobald er mit einem Blatt fertig war, wurde es durch Sonderkurier zur staatlichen Kontrollstelle befördert. Und zwischendurch warf der Direktor so grimmige Blicke nach mir, daß ich mich allmählich fragen mußte, ob er nicht vielleicht anstelle des Ermäßigungsantrags einen Haftbefehl ausstellte.
Irgendwann kommt der Moment, da selbst das längste Protokoll beendet ist. So geschah es auch hier, und der Direktor zögerte nun nicht länger, sich mit dem Innenminister zu einer Konferenz auf höchster Ebene zurückzuziehen. Nur einmal steckte er kurz den Kopf durch die Türe und fragte, was wir wünschten. Die beste Ehefrau von allen war, es läßt sich nicht leugnen, einem Nervenzusammenbruch nahe

und brachte nichts weiter hervor als kleine, spitze Schreie: »Quanto costa? Quanto costa?«
Jetzt schien selbst der Direktor zu merken, daß wir ein wenig ungeduldig wurden, rief nach dem Portier und beauftragte ihn, uns sofort mit einigen italienischen Zeitungen zu versorgen. Endlich schliefen wir ein.
Als wir erwachten, sahen wir uns von der gesamten Belegschaft des Officio Stampa umringt. Alle lächelten. In der Mitte stand der Direktor und übergab mir eigenhändig die ersehnte Ausweiskarte. Zwar konnte ich den Text, weil er italienisch war, nicht lesen, aber die Freundlichkeit ringsum erwärmte unsere Herzen, und wir traten guter Dinge in die kühle Nacht hinaus ...
»Ausweis? Was Ausweis?« fragte der Hotelportier in gebrochenem Deutsch. »Papier schreibt, du morgen gehen Verkehrsministerium. Transportino.«
Mehr tot als lebendig fielen wir in unsere damastenen Betten unter dem brokatenen Baldachin. Das Grand Hotel hatte nämlich in der Zwischenzeit unser kleines, spottbilliges Dreißig-Dollar-Zimmer weitervermietet, und jetzt war nur noch das ehemalige Fürstenappartement Seiner Majestät König Victor Emanuels I. frei, Tagespreis fünfundachtzig Dollar.
Nach einem friedlichen, erfrischenden Schlummer von zehn Minuten weckte mich meine Frau und beschwor mich, in der Sache der Fahrpreisermäßigung keinen weiteren Schritt mehr zu unternehmen, auch nicht den allerkleinsten, denn selbst der allerkleinste würde uns ins Grab bringen.
»Weib«, erwiderte ich, »es geht nicht um die siebzig Prozent. Es geht um die Menschenwürde an sich ...«

Mit einem lässig hingeworfenen »Transportino« begannen wir am nächsten Morgen unsre Taxi-Rundfahrt. Wir erfreuten uns bereits gewisser Beliebtheit unter den römischen Chauffeuren. Der Fahrer verstand uns auf Anhieb.
Bald darauf standen wir vor einem grandiosen Palastportal, das von zwei Hellebardieren in altmodisch pompösen Gewändern bewacht wurde. Wir traten ein, durchquerten das Vatikanische Museum, verließen es auf der andern Seite, mieteten einen zweirädrigen Karren, sagten diesmal nicht »Transportino«, sondern »Transportatia«, und erreichten Sorrent, einen bekannten, inmitten lieblicher Wälder gelegenen Kurort.
Es ließ sich nicht länger leugnen: ich war ein gebrochener Mann, in geistiger, seelischer, körperlicher und finanzieller Hinsicht. Ängstlich schielte ich zu meiner Frau hinüber. Aber da zeigte sich, was eine wahre Lebensgefährtin ist. Die beste Ehefrau von allen straffte sich, preßte die Lippen zusammen und äußerte mit unheilvoller Entschlossenheit:
»Ein Schuft, wer jetzt aufgibt. Wir werden dieses verdammte Verkehrsministerium finden, und wenn wir daran zugrunde gehen.«
Es wäre aussichtslos, den Gemütszustand beschreiben zu wollen, in dem wir uns wieder auf den Weg machten. So ähnlich muß den ersten Christen zumut gewesen sein, als sie sich ins Kolosseum zum Rendezvous mit den Löwen begaben ...
Die Sonne war noch nicht untergegangen, als wir vor dem Verkehrsministerium standen. Wie wir es gefunden hatten? Zeit und Raum reichen nicht aus, diese schier unglaubliche Geschichte zu erzählen, in der ein geduldiger Autobusschaffner, in südafrikanischer Pilot und ein gutherziger Kellner, dessen Onkel in Ferrara glücklicherweise etwas Englisch verstand, die tragenden Rollen spielten.

Im Verkehrsministerium empfing man uns mit Widerwillen, gemildert durch Überraschung. Vermutlich war ich der erste Auslandsjournalist, der sich bis zu dieser letzten Etappe durchgeschlagen hatte.
Mit neuer Kraft nahmen wir den Angriff auf. Man hetzte uns durch sämtliche Stadien der amtlichen Klaviatur, vom piano superiore über das andante cantabile bis zum allegro moderato. In der ausdrucksreichen Gebärdensprache, die wir uns mittlerweile angeeignet hatten, machten wir unser Anliegen allgemein verständlich: Wir — sch-sch-sch-sch — Eisenbahnzug — (zusätzlicher Pfiff) — giornalisti — sch-sch-sch — riduzione — 70% (zusätzliche Niederschrift).
Neue Berichterstattungsformulare wurden ausgefüllt und verschickt. Konferenzen wurden einberufen. Die Telegraphendrähte summten.
In der Dunkelheit verließen wir das segensreiche Gebäude. Meine linke Brusttasche barg ein in rotes Maroquinleder gebundenes Dokument, das mit meinem Lichtbild geschmückt war: Ferrovie dello Stato ... a tariffo ridutto del 70% ...
Stumm schritten wir unter den glitzernden Sternen dahin. Tränen der Freude und der Erlösung rannen über unsere eingefallenen Wangen. Noch nie im Leben hatten wir ein so prachtvolles Papier unser eigen genannt. Daß wir es jetzt gar nicht mehr brauchten, fiel demgegenüber kaum ins Gewicht. Hatten wir doch schon halb Italien bereist, zu vollen Preisen, wie es von vornherein die Absicht der listenreichen italienischen Regierung gewesen war ...

Nachtrag zum Ermäßigungsproblem:
Wie der geneigte Leser sich vielleicht erinnert, war vor einigen Seiten die Rede davon, daß ich mir beim Ausfül-

len der Fragebogen, wann immer ich auf eine besonders schwierig zu beantwortende Frage stieß, mit der Antwort »Spaghetti alla Bolognese« behalf. Leider traf ich damit das gastfreundliche italienische Volk an einer besonders empfindlichen Stelle.

Man weiß, daß jedes Volk seine Nationalspeise hat (die Israelis zum Beispiel den arabischen Skish-kebab). Für die Italiener bedeuten jedoch Spaghetti keine bloße Nationalspeise, sondern eine psychopathologische, traumatisch vererbte Zwangshandlung. Die Italiener essen fast pausenlos, und fast pausenlos Spaghetti. Es gibt schlechthin nichts, wozu sie keine Spaghetti äßen. Wenn man ein Beefsteak bestellt, greift der Kellner zuerst einmal in einen Bottich mit Spaghetti. Ohne Spaghetti kein Fleisch, kein Fisch, keine Vorspeise, keine Nachspeise, keine Spaghetti. Einmal, als ihr wieder die nichtbestellten Spaghetti serviert wurden, wagte meine todesmutige Gattin Einspruch zu erheben:

»Bitte, wir haben keine Spaghetti bestellt.«

»Signora«, wies der Kellner sie zurecht, »das sind keine Spaghetti. Das sind Allegretti con brio alla pomodore di Ottorino Respighi ...«

Denn die Italiener haben immer wechselnde Namen für die immer gleichen Spaghetti. Man weiß eigentlich nie, was man ißt, wenn man Spaghetti ißt — außer daß es Spaghetti sind. Proteste fruchten nichts, da kann man reden, soviel man will. Fast scheint's, als wäre der weise Rat der Eule Lipschitz — »Lassen Sie *ihn* stottern!« — bis nach Italien gedrungen. Außerdem gehört es zu des weißen Mannes schwersten Bürden, die Kunst des Aufgabelns zu erlernen. Nach Italien eingewanderte Familien brauchen oft drei Generationen lang, ehe sie es fertigbringen, diese acht Meter langen Gummischläuche richtig zu rollen.

Eines Tages wurde es mir zu dumm. Ich zog mein Taschen-

4

messer und zerschnitt die wild gewordene Spaghettischlange in kleine Stücke. Meine Gattin wollte vor Scham in die Erde versinken. Mich aber rettete meine Tollkühnheit vor dem Hungertod.

Neben den Spaghetti haben die Italiener noch eine andre Schwäche: Reiterstandbilder.

An jeder zweiten Straßenecke sieht man sich plötzlich einem Kriegshelden gegenüber, der hoch zu Roß mit ausgestrecktem Arm und ebensolcher Adlernase auf seinem Postament thront. Eine lange lateinische Inschrift auf dem Postament preist den Mut und die Todesverachtung des bekannt martialischen Italienervolkes. Keine italienische Familie, die etwas auf sich hält, würde darauf verzichten, mindestens ein bis zwei Reiterstandbilder zu stiften. Sofort nach Beendigung der Trauerperiode besinnt sich die italienische Witwe und spricht:

»Unser Peppino ist doch immer so schrecklich gerne zum Pferderennen gegangen. Wir sollten ihm vor dem Laden ein Denkmal setzen ...«

Und bald darauf thront der selige Peppino, das kampflustig gezogene Schwert in der Rechten, auf bronzenem Zelter inmitten des Marktplatzes, wo sich seine Gemischtwarenhandlung befindet, und rings um das Piedestal grüßen seine Kundschaften, in weißen Marmor gehauen, mit erhobenem Arm zu ihrem Helden empor ...

Es ist nur natürlich, daß die Touristen das charmante, lebensfrohe, wohlgelaunte Volk Italiens lieben. Aber daß die Italiener ihrerseits die Touristen lieben, grenzt ans Perverse. Beinahe könnte man glauben, daß die Italiener es darauf angelegt hätten, die bekannte Lipschitz-Definition

des Touristen Lügen zu strafen: sie betrachten den ausländischen Reisenden als menschliches Wesen und behandeln ihn mit liebevoller Obsorge. Manchmal geht diese Obsorge so weit, daß man sich überhaupt nicht mehr auskennt.
Ein gutes Beispiel dafür lieferte mir der hilfreiche Luigi. Ich traf ihn in Genua, am Tag meiner Ankunft. Auf einer ziellosen Wanderung durch die unübersichtlichen Straßen der Stadt hatte ich mich verirrt und hielt an einer Autobusstation inne, wo mehrere Leute warteten. Ein rundlicher, älterer Herr mit einem kleinen Paket in der Hand erweckte mein Vertrauen. Ich fragte ihn nach dem Hotel Excelsior. Wieder einmal bestätigte sich mein genialer Instinkt: der Mann sprach leidlich deutsch.
»Hotel Excelsior? Kommen Sie!«
Wir bestiegen den Bus und setzten uns nebeneinander. Mein freiwilliger Führer deutete auf das kleine Paket und sagte: »Ich habe mir wollene Unterhosen gekauft.«
»Ach?« antwortete ich. »Wirklich?«
»Im Winter muß man etwas Warmes um den Bauch haben«, fuhr mein Nachbar fort. »Sonst erkältet man sich. Meine Frau sagt mir immer: ›Keine falsche Scham, Luigi‹, sagt sie immer. ›Du kannst dir ruhig ein Frottierhandtuch um den Leib binden.‹ Sie weiß, daß ich in diesen Dingen ein wenig schamhaft bin. Wir haben oft Streit deswegen. Sie, zum Beispiel, hängt ihre Busenhalter ungeniert auf dem Balkon zum Trocknen auf. Ich habe ihr schon dutzende Male — was sage ich, hunderte Male habe ich ihr gesagt: ›Willst du denn unbedingt‹, sage ich ihr immer wieder, ›daß die Leute über dich reden?‹ Und was sagt sie darauf? Sie sagt: ›Paß lieber auf dich selbst auf und komm nicht jede Nacht besoffen nach Haus, sagt sie. Was sagen Sie dazu? Dabei ist sie so dick, daß die Stühle unter ihr zusammenbrechen, wenn sie sich draufsetzt . . .«

»Na ja«, warf ich ein. »So ist das Leben.«
»Ich habe sie geheiratet, obwohl sie nicht einen lausigen Centesimo im Vermögen hatte«, erweiterte Luigi seine Informationen. »Rein gar nichts hat sie in die Ehe mitgebracht, rein gar nichts. Darüber schweigt sie sich natürlich aus. Alles, was sie kann, ist keppeln und keifen und schimpfen. Und eifersüchtig ist sie! Bei der Madonna von Padua, so etwas von Eifersucht gibt es kein zweites Mal. Schon seit Jahren verdächtigt sie mich, daß etwas zwischen mir und der Signora Cattini los ist, die den Zeitungskiosk neben der Kathedrale hat, gleich rechts, unter den Arkaden. Und dabei schwöre ich Ihnen, lieber Herr, daß sie, also meine Frau, viel hübscher ist als diese Cattini. Auch wenn sie immer fetter wird. Das macht nichts. Das hab' ich sogar ganz gern. Aber versuchen Sie einmal, mit einer Wahnsinnigen zu reden. Ich bekomme kaum noch etwas andres zu hören als Cattini hin und Cattini her. Jede Nacht geht's von neuem los: ›Du hast deine Zeitung schon wieder bei der Cattini gekauft. Ich hab's mit meinen eigenen Augen gesehen. Bei der Cattini.‹ Na wenn schon. Warum soll ich meine Zeitung nicht bei der Cattini kaufen? Ist das vielleicht ein Verbrechen?«
»Nein«, murmelte ich verlegen. »Ich glaube nicht, daß das ein Verbrechen ist.«
Unser Bus fuhr jetzt entlang der Meeresküste. Ein hinreißendes Panorama bot sich mir dar. Vom Hotel Excelsior war allerdings keine Spur.
Luigi nahm die Schilderung seines Elends wieder auf.
»Der einzige Mensch, der noch besser keppelt und keift als meine Frau, ist ihre Mutter. Manchmal keppeln und keifen sie beide zusammen. Dann falte ich die Hände und sage: ›Bei der heiligen Mutter von Padua‹, sage ich, ›wie kann man so viel keppeln und keifen?‹ Und was antwortet diese

alte Hexe von Schwiegermutter? Sie antwortet: ›Du halt den Mund, du mit deinem Vorstrafenregister!‹ Vorstrafenregister! Einfach lächerlich. Nur weil man mich einmal, vor zwei oder drei Jahren, für eine kleine Weile eingesperrt hat. Marcello und ich hatten damals ein wenig über den Durst getrunken, wir waren in guter Laune und warfen ein paar Topfpflanzen durch ein paar Fensterscheiben. Das war alles. Sogar der Richter sagte: ›Luigi‹, sagte er, ›ich betrachte deine makellose Vergangenheit und dein bitteres Schicksal als Milderungsgrund.‹ Das war alles. Und jetzt frage ich Sie, lieber Herr; ist das ein Vorstrafenregister? *Sie* kommt aus einer Familie mit Vorstrafen, *sie*. Das kann ich Ihnen ruhig sagen, es ist kein Geheimnis. Die ganze Welt weiß, daß ihr Vater ein Rauschgiftschmuggler war. Er hat bei dieser Gelegenheit drei Finger verloren, weil sie ihm weggeschossen wurden. So einer war er. Einmal kommt mein Töchterchen aus der Schule nach Hause und fragt: ›Pappi‹, fragt sie, ›ist es wahr, daß man unsern Opa gehängt hat?‹ Was soll man da sagen. Ich kann das arme Kind doch nicht anlügen. Schlimm genug, daß sie in der Schule solche Sachen hört. Wo sie doch ohnehin jedes Jahr durchfällt. Zum Glück fuhren wir damals gerade im Bus, und ich konnte sie ablenken. ›Es ist Zeit zum Aussteigen‹, sagte ich. ›Es ist Zeit zum Aussteigen.‹«
Erst als er sich erhob und dem Ausgang zustreben wollte, wurde mir klar, daß seine letzten Worte sich bereits auf die Gegenwart bezogen. Ich hielt ihn zurück:
»Entschuldigen Sie — wie weit ist es jetzt noch zum Hotel Excelsior?«
»Hotel Excelsior? Nie gehört. Aber Sie werden es schon finden.« Er winkte mir zum Abschied fröhlich zu. »Nette kleine Unterhaltung, die wir miteinander hatten, wie? Auf Wiedersehen! Und viel Glück!«

Zu den vielen Talenten der italienischen Nation gehört auch ein hervorragend entwickelter Geschäftssinn. Ich kann mich nicht entsinnen, daß meine Gattin oder ich oder wir beide aus einem italienischen Laden jemals nur mit den Dingen herausgekommen wären, zu deren Einkauf wir uns hineinbegeben hatten. Noch der kleinste italienische Geschäftsinhaber verfügt über eine schlechthin unwiderstehliche Verkaufstechnik, die er durch einen pausenlosen Redeschwall und ein im wahrsten Sinne gewinnendes Lächeln unterstützt. So füllten sich unsere Koffer beklemmend rasch mit allen möglichen Shawls und Halstüchern und Krawatten in allen möglichen Farben, mit scharf zugespitzten Schuhen, mit den feinsten Salatölen, mit Strohhüten und Füllfedern und Feuerzeugen. Es war einfach unmöglich, einem italienischen Verkäufer nein zu sagen. Und von jedem kleinen Verkaufsstand, den wir auf der Straße erspähten, fühlten wir uns mit magnetischer Gewalt angezogen.

Es folgt nunmehr die Geschichte vom Zauberpulver.

Eines Tages sah ich unweit des Doms eine wogende Menge, die sich um einen jungen Mann von rustikalem Äußeren drängte. Der junge Mann hielt einen weißgrauen Stofffetzen mit zahlreichen abscheulichen Flecken in der Hand und schwenkte ihn aufgeregt durch die Luft, während er den folgenden, vollkommen pausenlosen Begleittext von sich gab:

»... die Gattin schreit entsetzt auf und springt in die Höhe reißt sich büschelweise die Haare aus und schreit Pappa schreit sie du hast schon wieder dein Jackett dein Hemd deine Krawatte dreckig gemacht oder dein Pyjama deine Unterhosen deine Socken oder weiß Gott was schreit sie ununterbrochen aber kein Anlaß zur Aufregung junge Frau nur die Ruhe nur die Ruhe. Sie nehmen ganz einfach dieses Zauberpulver und streuen ein klein wenig darauf nur ein klein wenig streuen Sie auf den Fleck und tauchen das Ganze kurz ins Wasser und wenn Sie's herausziehen bleibt Ihnen der Mund vor Staunen offen der Fleck ist verschwunden er ist weg er ist fort er ist nicht mehr da er hat sich in Nichts aufgelöst er ist unsichtbar es hat nie einen Fleck gegeben und Pappa bekommt einen Kuß und alles ist in Ordnung ...«

Den zweiten Teil seiner Rede begleitete der junge Mann mit überzeugenden Demonstrationen, indem er den Fetzen abwechselnd in Benzin, in Terpentin, in Zitronensaft, in Schwefelsäure und noch in einige andere Lösungen tauchte, ohne daß sich an den Flecken etwas änderte. Dann bestreute er einen Fleck mit etwas Zauberpulver, ließ ihn ein kurzes Wasserbad nehmen — und siehe da: der Fleck war weg und verschwunden und unsichtbar und nicht mehr vorhanden.

»... weit und breit alles wie neu und wenn die Hausfrau entsetzt aufschreit und in die Höhe springt und sich die Haare büschelweise ausreißt gibt Pappa ein wenig Zauberpulver drauf und bekommt einen Kuß die Packung zu hundert Lire nicht mehr als eine Schachtel Zündhölzchen zwei Jahre Garantie der Fleck ist weg ...«

Kein Zweifel: ein gütiges Schicksal hatte mich mit diesem jungen Ökonomen zusammengeführt. Ich erstand fünf Packungen mit Gebrauchsanweisung, sauste ins Hotel und verzierte das kostbare Seidentuch, das wir erst tags zuvor gekauft hatten, mit einem kunstvollen Tintenfleck. Und die Gattin schrie entsetzt auf sprang in die Höhe riß sich büschelweise die Haare aus aber kein Anlaß zur Aufregung junge Frau nur die Ruhe nur die Ruhe wir nehmen ganz einfach dieses Zauberpulver und streuen ein wenig drauf und tauchen das Ganze kurz ins Wasser und ziehen es her-

aus und der Fleck ist noch da und sichtbar und vorhanden und geht nicht weg und wird immer größer.
Pappa bekam keinen Kuß.
Dann fiel mir ein, daß das Zauberpulver vielleicht nur eine bestimmte Art von Flecken entfernt, die in Italien patentiert waren. Ich sauste zum Dom zurück. Aber der junge Mann mußte sich mittlerweile selbst mit einer größeren Dosis Zauberpulver bestreut haben. Er war verschwunden weg fort unsichtbar nicht mehr da.
Sollte ihm dieses Buch zufällig einmal in die Hand fallen, dann möge er mir auf raschestem Weg fünf Packungen italienische Flecken zukommen lassen. Ich zahle.

Wie man sieht, haben die Italiener ihr gesamtes Wirtschaftsleben auf den Fremdenverkehr zugeschnitten. Und sie fahren gut damit.
Nehmen wir den Schiefen Turm von Pisa. Er bringt dieser glücklichen Stadt ungleich mehr Geld ein als der Orangenexport. Und dabei ist der Turm, wie wir bei genauerer Inspektion feststellen konnten, in Wirklichkeit gar nicht schief. Sondern das ihn umgebende Erdreich wurde in so raffinierter Weise ab- und umgegraben, daß für den oberflächlichen Beschauer der Eindruck entsteht, als neige der Turm sich zur Seite.
Oder Siena. Dort wohnten wir dem »Pallio« bei, einem ganz gewöhnlichen Pferderennen von einer Minute Höchstdauer. Aber da die Gewänder der Reiter, die Schabracken der Pferde und alle übrigen Requisiten aus dem Mittelalter stammen (oder nach mittelalterlichen Mustern kopiert sind), hat der Tourist das Gefühl, lebendige Geschichte in sich aufzunehmen.

Oder San Gimignano, ein kleines Nest und offenbar die Gründungsstätte der italienischen Fremdenverkehrsindustrie, denn die Einwohner haben bereits vor dreihundert Jahren aufgehört, sich mit irgend etwas zu beschäftigen, ihre Häuser zu reparieren oder andere dringend erforderliche Arbeiten vorzunehmen. Sie sitzen in malerischen Gruppen auf dem Dorfplatz und lassen sich von den Touristen gegen nicht unerhebliches Entgelt besichtigen. Das ist alles.

Oder Florenz, betörend an den Ufern des Arno gelegen, eine verwunschene Prinzessin, die dem Reisenden zuflüstert: »Ciao ... ich bin die Witwe von Leonardo da Vinci ...«

Oder die Märchenstadt Venedig, der Schauplatz gewaltiger Gondelschlachten. In einer dieser Schlachten erlitten wir eine schmähliche Niederlage.

Einem weitverbreiteten Irrtum zufolge ist Venedig der Ort, wo alle Jungvermählten in einem Taumel von Glück ihre Flitterwochen verbringen. Das stimmt nicht ganz. Es ist gar nicht so leicht, in Venedig glücklich zu sein.

Wenn man nicht sehr gut aufpaßt, beginnen die Schwierigkeiten gleich bei der Ankunft: man steigt aus dem Zug und plumpst in die nächste Lagune. Denn die Stadtväter dieser uralten Siedlung haben — in weiser Voraussicht späterer Verkehrsunfälle — die Straßen durch Kanäle ersetzt und auf den wenigen verbleibenden Festlandswegen jeden Auto- und Wagenverkehr untersagt.

Da meine Frau eine sehr schlechte Schwimmerin ist, erkundigten wir uns noch in der Bahnhofshalle, wie wir wohl am besten in unser Hotel kämen.

»Nehmen Sie ein Motorboot-Taxi«, lautete die Auskunft. »Gleich vor dem Bahnhof finden Sie jede gewünschte Menge. Aber mieten Sie unter gar keinen Umständen eine Gondel. Das käme viel zu teuer.«
Nachdem wir unser Gepäck aus dem Bahnhof hinausgeschafft hatten, hielten wir Ausschau nach einem Motorboot-Taxi. Es gab keines. Hingegen gab es eine unübersehbare Flottilla von Gondeln, jede mit einem Gondoliere in schwungvollen schwarzen Hosen und blau-weiß gestreiftem Leibchen; und jedem leuchtete die Geldgier aus den Augen. Sei's drum! dachten wir und bestiegen eines der romantisch schaukelnden Fahrzeuge. Ein alter Venezianer mit einer wasserglitschigen Lenkstange half uns für 100 Lire beim Einsteigen, einer seiner jüngeren Nachkommen verstaute für 200 Lire unser Gepäck unter den feuchten Sitzen, und ein dritter sagte für 50 Lire:
»Avanti.«
Die Gondelfahrt war eine reine Freude, nur mäßig getrübt durch ein Gefühl der Scham, das den israelischen Bürger zwangsläufig überkommt, wenn er sich lässig in seinen Polstersitz zurücklehnt und mit ansehen muß, wie sein Nebenmensch sich unter der Anstrengung des Ruderns krümmt. Die Gondel als solche erinnerte uns an jene historischen Fahrzeuge, mit denen einstmals die Wikinger halb Europa erobert hatten. Jedenfalls scheinen die Gondeln aus einer Zeit zu stammen, in der die Sklaverei erlaubt und Koffer unbekannt waren.
Unser Wikinger ließ sich's trotzdem nicht verdrießen und sang mit schmetternder Stimme sein »O sole mio ...« Die beste Ehefrau von allen war sichtlich hingerissen und hätte vor Rührung vielleicht zu weinen begonnen, wenn ihr nicht bei jedem dritten Ruderschlag der schwerste unserer Koffer gegen das Schienbein gerutscht wäre. Ich meinerseits malte

mir aus, wie uns der Wikinger beim Zahlen überfordern würde und wie ich das am besten vereiteln könnte.
»Amico«, würde ich ihm sagen, »bei mir sind Sie an den Falschen geraten. Einen Neuling können Sie vielleicht übers Ohr hauen, mich nicht ...«
»Zweitausend Lire!« Die Gondel hatte vor dem Hotel angelegt. »Due mille!«
»Amico —«
Weiter kam ich nicht. Der Gondoliere begann zu schimpfen und zu fluchen, molto Gepäck, molto müde, molti bambini zu Haus und Santa Maria della Croce um die Ecke. Es war ein entsetzliches Schauspiel. Ich beeilte mich, ihn um den Preis von 2000 Lire so rasch wie möglich loszuwerden, und da er mich beim Kofferausladen nicht störte, gab ich ihm sogar noch 100 Lire drauf.
Und?
Der Mann hatte das Geld in seiner weiten Hosentasche verschwinden lassen, lächelte und rührte sich nicht.
»Arrivederci«, rief ich ihm zu. »Machen Sie, daß Sie weiterkommen. Auf was warten Sie noch?«
»Ein Trinkgeld«, flötete er. »Ein ganz kleines Trinkgeld, Signor ...«
»Das ist die Höhe! Haben Sie mir nicht zweitausend Lire abgeknöpft? Habe ich Ihnen nicht freiwillig um hundert Lire mehr gegeben?«
»Ja, gewiß«, entgegnete sanft der Wikinger. »Das war das offizielle Trinkgeld. Aber es ist üblich, auch noch ein privates Trinkgeld zu geben.«
Wortlos kehrte ich ihm den Rücken. Ich gab ihm nichts weiter als noch 50 Lire.
Der Hotelportier, der die ganze Szene aus einiger Entfernung stumm beobachtet hatte, fragte mich, warum wir nicht mit dem Motor-Taxi gekommen wären. Und ob wir

denn nicht wüßten, daß nur Wahnsinnige noch Gondeln mieten. Und wieviel dieser Verbrecher aus mir herausgepreßt hätte.
»Aus mir preßt keiner etwas heraus«, sagte ich überlegen. »Er hat fünfzehnhundert Lire verlangt und fünfzehnhundert Lire bekommen.«
Der Portier warf einen verzweifelten Blick zum Himmel, holte das offizielle »Fremdenverkehrs-Handbuch der Stadt Venedig« von seinem Pult und schlug die Seite mit den Gondeltarifen auf:
»Liebespaar mit acht Koffern — 800 Lire«, las ich.
Zu Mittag bekamen wir einen kleinen Teil unserer Kosten wieder herein. Im Restaurant fiel einer am Nebentisch sitzenden Dame das Messer zu Boden, und eingedenk meiner guten Erziehung bückte ich mich, um es ihr zu reichen, worauf sie mir 200 Lire in die Hand drücken wollte. Mit einem hurtigen »Grazie« schnappte meine Frau nach dem Geldstück, stopfte es in ihre Handtasche und bemerkte nach einer Weile, die geizige alte Hexe hätte ruhig mehr geben dürfen ...
Über die Höhe der Restaurantrechnung gehe ich vornehm hinweg. Schließlich waren da auch die beiden goldstrotzend uniformierten Kellner berücksichtigt, die man ununterbrochen im Rücken stehen hat, der eilfertige, in blendendes Weiß gekleidete Mundschenk, und das Privileg, daß man vom Chef persönlich aus einer kostbaren alten Kristallkaraffe das Öl über den Salat geschüttet bekommt. Das alles ist sein Geld wert. Aber für Gondelfahrten würden wir keine einzige Lira mehr ausgeben.
Nur einmal fielen wir noch in die Klauen der Seeräuber. Wir hatten gerade dem jüdischen Ghetto einen Höflichkeitsbesuch abgestattet und wankten, müde vom Gehen und deprimiert von der Erinnerung an den Kaufmann von

Venedig, dem Canale Grande zu, als mir ganz beiläufig der Gedanke kam, daß wir vielleicht doch, angesichts der besonderen Umstände, und wenn wir schon da sind, und wenn's schon so heiß ist, und warum nicht ...

Rascher als man »Shylock« sagen kann, umringte uns eine Schar bewaffneter Wikinger, die meine Gedanken erraten haben mußten, versperrten sämtliche Ausfallswege und ließen mir keine Wahl, als mich einem von ihnen, dem nach außenhin freundlichsten, zu nähern (die anderen verschwanden unter gotteslästerlichen Flüchen).

»Quanto costa?« fragte ich mit der mir nun schon eigenen Gewandtheit.

»1900.«

Ich zog die offizielle Broschüre aus der Tasche und zeigte ihm die Stelle mit den 800 Lire. Die Folge war ein epileptischer Anfall des Gondoliere, den ich nicht mit ansehen konnte. Abgewandten Gesichts machte ich ihm ein letztes Angebot:

»1300.«

»1750.«

»Also gut, 1600.«

»1750.«

»In Ordnung«, sagte ich. »Aber das heißt dann 1750 alles in allem, einschließlich Trinkgeld, Abnützungsgebühr, Verkehrssteuer, Reparatur und Babysitter. 1750 und Schluß. Verstanden?«

»Si, Signor. 1750 und keine Lira mehr.«

Die Gondel glitt lautlos über das unsaubere Wasser. Wir saßen in angespanntem Schweigen. Wo steckte die Falle, die uns der Wikinger doch sicherlich gelegt hatte? Was stand uns noch bevor?

Lautlos glitt die Gondel dahin, vollkommen lautlos.

»Was soll das?« fragte nervös die beste Ehefrau von allen.

»Warum singt er nicht? Ich halte diese Stille nicht länger aus.« Damit wandte sie sich an den Gondoliere:
»O sole mio, s'il vous plaît!«
»Prego, Signora.«
Und schon erklang sein schmelzender Tenor. Die süße, verführerische Melodie ließ uns beinahe sentimental werden. Beinahe schien es uns, als käme aus der wetterharten Brust des Piraten eine lang verschüttete Menschlichkeit zum Vorschein ... als spülten die Fluten des Canale Grande siegreich Venedigs merkantile Entartung hinweg ... als bestünde die Welt aus eitel Güte, Gesang und Lächeln ...
Auf dem Gesicht meiner Gattin erstarrte dieses Lächeln plötzlich zu einer angstvollen Grimasse:
»Um Himmels willen«, flüsterte sie. »Und *ich* habe ihn darum gebeten ...!«
Aber es war zu spät. Schon hielten wir vor dem Hotel.
»3000«, sagte der Gondoliere ruhig und unwidersprechlich. »1750 für die Fahrt, 1250 für die Serenade.«
Die beste Ehefrau von allen, zitternd am ganzen Körper und das kleine hübsche Gesicht gräßlich verzerrt, trat dicht an den Erpresser heran und verlangte zu wissen, was eigentlich an diesem schäbigen »O sole mio« 1250 Lire wert sei.
»Spezialista!« lautete die bereitwillige Antwort. »Tenore! Molto Stimme, molto Anstrengung, molto bambini, Santa Maria ...«
Er bekam die 3000 Lire und nicht mehr als 150 Lire Trinkgeld. Nicht eine Lira mehr. Alles hat seine Grenzen.
Zufrieden bestieg er seine Gondel und ruderte ab. Noch lange hörten wir aus der Ferne sein »O sole mio ...«

Von da an hielten wir uns unerbittlich an unsern Schwur, keine Gondel mehr zu benützen. Das war mit gewissen

Mühen verbunden, denn die Kunde, daß ein verrücktes Ausländerpaar jeden geforderten Preis für eine Gondelfahrt bezahle, hatte sich unter den Gondolieri wie ein Lauffeuer verbreitet. Schon früh am Morgen klopfte es an unsre Tür:

»Bella Tour durch Venezia! Bellissima Gondola! Nur 2650 Lire! Inclusive ›O sole mio‹!«

Auch den Besuch von Restaurants gewöhnten wir uns ab. Das Problem, wie wir uns ohne goldbetreßten Kellner ernähren sollten, löste sich leicht und glücklich, als wir einen dieser wundertätigen Automaten entdeckten, die in immer größerer Zahl Europas Fortschrittsfluren übersäen. Er trug einen Wegweiser zu seinen verschiedenen Schlitzen und Knöpfen und Schubfächern: »Hier 100 Lire ... Hier drükken ... Hier Käsesandwich alla Milanese ... Hier ziehen ... Hier mit der Faust draufschlagen ...«

Als wir das alles vorschriftsmäßig besorgt hatten, kam jedoch keinerlei Sandwich heraus, sondern in einem plötzlich erleuchteten Glasquadrat erschien die Inschrift:

»Bitte noch 50 Lire. Willkommen im sonnigen Italien.«

Ich versuchte es mit 20 Lire, drückte, zog, hieb mit der Faust drein, zog nochmals und hielt tatsächlich ein in Cellophan eingepacktes Käsesandwich in der Hand, das übrigens ganz vorzüglich schmeckte. Dankbar warf ich 10 Lire in einen der noch nicht von mir benützten Schlitze. Ein Schubfach sprang auf und reichte mir einen Zettel:

»Grazie!«

Der Tag unserer Abreise in die Schweiz war gekommen. Zur Sicherheit hatte ich ein Motorboot bestellt, das uns eine Stunde vor Abgang des Zuges zum Bahnhof bringen sollte.

Jeder Preis war mir recht, wenn ich nur diesen Gondelpiraten kein Geld mehr in den Rachen werfen mußte.
Das Motorboot kam nicht. Ich weiß nicht, warum, aber es kam nicht. Das kann passieren. Sogar in Italien.
Als nur noch eine halbe Stunde bis zur Abfahrtszeit des Zuges fehlte, begannen wir wie die Irren auf der kleinen Anlegestelle unsres Hotels hin- und herzurennen:
»Gondola!« riefen wir. »Gondola!« brüllten wir.
Nichts. Keine Gondel. Keine einzige. Die Gondeln waren ausgestorben. Es gab keine Gondeln mehr.
Im allerletzten Augenblick wurden wir durch ein merkwürdig plantschendes Geräusch auf einen alten Mann aufmerksam, der dicht unterhalb der Anlegestelle ein Schläfchen tat. In einer Gondel.
Wir stürzten hinunter und weckten ihn:
»Presto! Tempo! Zum Hauptbahnhof! Rasch, rasch!«
Im zerfurchten Gesicht des Piraten hoben sich langsam die schweren Lider, und in seinen Augen erschien mit deutlichen Blinksignalen die Ziffer 5000. Es war uns sogar, als hörten wir das Klingeln einer eingebauten Registrierkassa ...
Wir versäumten den Zug.
Atemlos stürzten wir auf den Admiral zu, der in der Bahnhofsverwaltung einen der höheren Ränge bekleidet, und fragten ihn, wann der nächste Zug nach Genf ginge.
»Genf?« Der Admiral besann sich. »Genf ... das wäre um 5.30!«
»Hahaha!« Ich lachte ihm ins Gesicht, um ihm so recht meine Verachtung für diesen unannehmbaren Vorschlag zu bezeigen. »Vier ist das äußerste, was ich nehme!«
»5.15!«
»4.20!«
»5! Nicht eine Minute früher!«

»4.30! Aber wirklich nur, weil Sie's sind!«
Nach einigem Hin und Her einigten wir uns auf 4.45. Ich zeigte mich dem Admiral erkenntlich, so daß mir nur noch 50 Lire für den Lokomotivführer blieben.
Wir verließen Italien mit leeren Taschen, aber tatsächlich nicht später als um 6.23 Uhr.

Geburtsland der Sauberkeit

Handelnd von der Schweiz, dem Patrizierparadies Europas. — Zusammenstoß mit den ehernen Gesetzen der Eidgenössischen Fremdenindustrie. — Ich versuche, einem Repräsentanten der heimischen Bevölkerung einen Witz zu erzählen, habe keinen Erfolg und begehe Selbstmord durch Erhängen. — Illegale Unterwanderung der Schützenvereine. — Entlarvung der sprichwörtlichen Schweizer Zuverlässigkeit. — Verzweifelte Lage eines Schimpansen in Zürich. — Über die Unmöglichkeit, einen Pappendeckelrest loszuwerden.

Der Reisende, der in Mailand einen Zug in nördlicher Richtung besteigt, wird nach einigen Stunden Fahrt eine seltsame Verwandlung beobachten können: die Waggons haben plötzlich zu quietschen aufgehört, die Fahrgäste bringen fieberhaft ihr Äußeres in Ordnung und klauben alle Papierschnitzel vom Boden weg, das Geräusch der Räder läßt einen klaren Rhythmus erkennen, und sogar die Fenster werden wie durch Zauberschlag durchsichtig.
Dann durchfährt der Zug einen dieser unvermeidlichen, endlos langen Tunnels — und wenn er wieder ins Freie kommt, ist man in der Schweiz.
Jetzt tritt auch im Benehmen der Passagiere eine deutliche Veränderung ein. Sie scheinen alle zu den oberen Zehntausend zu gehören. So distinguiert ist die Schweiz. Mutter war eine deutsche Baronin, Vater ein französischer Großfabrikant, und alle Verwandten sind Millionäre; bis auf das schwarze Schaf der Familie, den italienischen Onkel, über den man im Gespräch höflich hinweggeht.
Die Schweiz ist der Traum des Kleinbürgers. Und des Großbürgers. Und der Sozialisten. Und der Revolutionäre und Konservativen und Nihilisten. Die Schweiz, kurzum, ist der Inbegriff aller menschlichen Sehnsüchte. »Schweiz« bedeutet soviel wie »Frieden«. Man könnte die Schweiz auch mit Israel vergleichen, nur ohne Araber an den Grenzen. Wohin man blickt, herrscht Ruhe, Ordnung, Disziplin, Hygiene, Fleiß und Moral.
Ist das nicht furchtbar?

Auch die Hotels halten den höchsten Standard. Es gibt kein Feilschen, keine unangenehmen Überraschungen, kein Straucheln über die Trinkgeldfrage. In jedem Hotel hängt eine deutlich sichtbare Tafel mit Hausregeln und Preislisten, und weder von den einen noch von den anderen wird auch nur im mindesten abgewichen. Unser Hotel in Zürich machte uns beispielsweise mit der folgenden Tarifbesonderheit vertraut:

»Klimaanlage im Zimmer: 10% des Tagespreises.«

Mit Recht. Klimaanlagen bedeuten das Nonplusultra an Komfort. Durch einen kleinen, in unerreichbarer Höhe angebrachten Apparat wird die ozonreiche Schweizer Luft, sorgfältig temperiert und gefiltert, in das geschmackvoll eingerichtete Zimmer geleitet. Jeder Atemzug trägt zum Wohlbefinden des Gastes bei. Mag draußen ein noch so heißer Schirocco das Leben unerträglich machen — das Zimmer bleibt erfrischend kühl. Leider kann es manchmal geschehen, daß es keinen Schirocco gibt, und daß, im Gegenteil, die Luft draußen erfrischend kühl ist. Dann allerdings verwandelt sich das geschmackvoll eingerichtete Zimmer in eine Eisgrube.

Infolgedessen ging ich zum Hotelmanager und sprach zu ihm wie folgt:

»Exzellenz! In unsrem Zimmer ist es kalt. Mörderisch kalt. Bitte stellen Sie die Klimaanlage ab!«

Exzellenz zogen die Hausregeln zu Rate und antworteten freundlich:

»Mein Herr, Sie haben ein Zimmer *mit* Klimaanlage genommen.«

»Gewiß. Aber jetzt ist es kalt draußen, und ich möchte, daß Sie dieses verdammte Ding abstellen.«

»Das geht leider nicht. Unsre Klimaanlage ist zentral betrieben.«

»Ich werde mir eine Erkältung zuziehen.«
»Dann müssen Sie wärmere Kleider nehmen«, sagte der Manager und war mir sichtlich böse, daß ich ihn zu einem Bruch der Hausregeln verleiten wollte.
Ich machte einen letzten Versuch:
»Stellen Sie die Klimaanlage ab — und ich zahle Ihnen trotzdem die zehn Prozent Aufschlag. Einverstanden?«
Nun war es mit der Selbstbeherrschung des Managers zu Ende. Für derlei levantinische Sitten hatte er nichts übrig. Sein Gesicht lief rot an.
»Mein Herr«, sagte er eisig, »für nicht geleistete Dienste können wir unseren Gästen nichts berechnen. Wenn Sie für etwas zahlen, dann bekommen Sie es auch. Das ischt alles.«
Und mit einer unwidersprechlichen Handbewegung scheuchte er mich von seinem Antlitz hinweg.
Ich kehrte in unsre Tiefkühlanlage zurück und beriet mit meiner Gattin, wie wir dem Tod durch Erfrieren vielleicht doch noch entgehen könnten. Schließlich kauerten wir uns eng umschlungen hinter einen Mauervorsprung, der uns einigen Schutz gegen die unablässig eindringenden Kaltluftströmungen verhieß.
Einige Minuten später klopfte es diskret an der Türe. Nein, die Schweizer sind keine Unmenschen. Ein Zimmermädchen brachte uns einen elektrischen Heizstrahler und zwei Decken.
Nach und nach gestalteten sich meine Beziehungen zum Manager etwas freundlicher. Er entpuppte sich — wie alle Schweizer, wenn man sie näher kennenlernt — als ein sehr netter Kerl, nur in Fragen der Haus- und sonstigen Ordnung verstand er keinen Spaß. Und wie sich zeigte, war das nicht einmal der einzige Spaß, den er nicht verstand.
Eines Abends unterhielten wir uns über die Weltlage.

Nachdem er mir die schweizerische Neutralität und ich ihm die bedrohte Lage Israels erklärt hatte, sah ich den Zeitpunkt gekommen, einen jüdischen Witz zu erzählen.
»Kennen Sie diesen?« begann ich. »Zwei Juden fahren in der Eisenbahn —«
»Entschuldigen Sie«, unterbrach mich der Manager und rückte seine Brille zurecht. »Was für Juden? Ich meine: woher kamen die beiden Herren?«
»Von irgendwoher. Es ist gleichgültig.«
»Von Palästina?«
»Spielt keine Rolle. Schön, von Palästina. Oder sagen wir besser Israel. Und —«
»Ich verstehe. Sie wollen andeuten, daß die Geschichte bald nach der Gründung Ihres Staates spielt.«
»Richtig. Aber es hat eigentlich nichts mit der Geschichte zu tun. Zwei Juden fahren in der Eisenbahn —«
»Wohin?«
»Egal. Nach Haifa. Es ist wirklich ganz unwichtig. Der Zug fährt plötzlich in einen langen Tunnel ein, und da —«
»Einen Augenblick. Gibt es denn auf der Strecke nach Haifa einen Tunnel?«
»Dann fahren sie eben nach Jerusalem. Gut? Also der Zug —«
»Entschuldigen Sie, mein Herr. Ich fürchte, daß es auch auf der Strecke nach Jerusalem keine Tunnels gibt. Mein Bruder war mit einer Roten-Kreuz-Mission in Palästina, als es noch unter britischem Mandat stand, und er hat mir nie etwas von Tunnels erzählt.«
»Es spielt auch gar keine Rolle. Das sagte ich Ihnen doch schon. Es ist für meine Geschichte ganz gleichgültig, wo die beiden im Zug fahren. Nehmen wir an, sie fahren in der Schweiz. Und —«

»Ah, in der Schweiz! Und um welchen Tunnel, wenn ich fragen darf, handelt es sich? Um den Simplon? Um den St. Gotthard? Oder vielleicht —«
Jetzt war es an mir, zu unterbrechen:
»Es ist vollkommen unwichtig, was für ein Tunnel es war!« rief ich. »Meinetwegen kann es auch der Schlesinger gewesen sein!«
»Der Schlesinger-Tunnel?!« Der Manager brach in dröhnendes Gelächter aus. »Hervorragend! Ein hervorragender Witz! Entschuldigen Sie — das muß ich sofort unsrem Chefportier erzählen! Der Schlesinger-Tunnel! Hahaha . . .«
Bald darauf schüttelte sich das ganze Hotel vor Lachen. Ich schlich auf die Toilette, ließ es mir angelegen sein, jedes Aufsehen zu vermeiden, und erhängte mich still an einer garantiert unzerreißbaren Schweizer Krawatte.

In Italien hat es den Anschein, als wären die Häuser nur gebaut worden, um den leeren Raum zwischen den Kathedralen auszufüllen. In der Schweiz haben die Banken eine ähnliche Funktion, nur füllen sie dort den leeren Raum zwischen den Uhrengeschäften aus. Möglicherweise verhält sich das auch umgekehrt. Für den Besucher ergibt sich jedenfalls der zwingende Eindruck, daß die Schweizer Bevölkerung fast ausschließlich aus Uhrmachern und Bankiers besteht. Erst nach einiger Zeit kommt man dahinter, daß es damit nicht getan ist. Es gibt Bankiers, die Uhrenhandlungen besitzen, und nicht wenige Besitzer von Uhrenhandlungen sind zugleich Besitzer von Bankaktien.
Fremden gegenüber legt die Schweiz, ihrer vornehmen Abkunft eingedenk, eine gewisse Zurückhaltung an den Tag. Um einem echt schweizerischen Klub beitreten zu können,

muß man in den meisten Fällen eine Mischehe eingehen. Und es verstreichen oft zwanzig Jahre, ehe ein in der Schweiz lebender Nichtschweizer das erste Ausweispapier bekommt, die »Provisorische Identitätskarte für einen vorübergehend in der Schweiz wohnhaften Ausländer kurz vor der Abreise«.

Die einzigen wirklichen Schwierigkeiten hat man aber auch in der Schweiz mit den Juden.

In der Schlußphase des letzten Krieges beging die kleine Schweiz einen Fehler, der den menschenfreundlichen Großmächten niemals unterlaufen wäre: sie nahm eine Menge verfolgter Juden auf. Das mußte sie bitter büßen. Als der Sturm vorüber war, verabsäumte es ein beträchtlicher Teil dieser Juden, sich in alle vier Winde zu zerstreuen, wie man es eigentlich von ihnen erwartet hatte. Sie blieben im Lande, wurden tüchtige Uhrmacher und Bankiers und erregten dadurch das Mißtrauen der Regierung. Mindestens einmal im Monat bekommen sie von den Schweizer Behörden schön gedruckte Prospekte zugeschickt, die ihnen in glühenden Farben die landschaftlichen und wirtschaftlichen Vorzüge anderer Länder schildern und mit der ebenso höflichen wie unmißverständlichen Frage schließen: »Wann gedenken Sie abzureisen?« Darauf antwortet der Ausländer, daß es maximal noch ein paar Jahre dauern könnte und daß er demnächst beginnen würde, sich nach einem Reiseziel umzusehen. Dieses niedliche Spielchen wird in den besten Traditionen des Kalten Kriegs ungefähr fünfzehn Jahre fortgesetzt, bis der Ausländer genug hat und eines Tages eine Mitteilung ungefähr folgenden Wortlauts an die Behörden ergehen läßt:

»Es wird Sie vielleicht wundern, aber ich habe nicht die Absicht, die Schweiz zu verlassen. Warum sollte ich? Ich fühle mich hier sehr wohl.«

Von da an läßt man ihn in Ruhe und begnügt sich damit, seine provisorische Aufenthaltsbewilligung in regelmäßigen Intervallen durch eine etwas weniger provisorische zu ersetzen, was jedesmal mit einem neuen Verhör und der Erfüllung neuer Bedingungen verbunden ist: der Fremde muß nachweisen, daß er nur noch in Ausnahmefällen deutsch spricht und sich im allgemeinen jenes Idioms bedient, das in manchen Kreisen als »Schwyzerdütsch« und in manchen als »Alpenjiddisch« bezeichnet wird; daß er ein überdurchschnittlich guter Kegler ist; daß er ein Bankguthaben und womöglich eine Bank besitzt; und daß er im benachbarten Schützenverein mit einem leichten Infanteriegewehr auf hundert Meter Entfernung eine Punktwertung von mindestens 75 erzielt hat.
So ein Schützenverein ist eine ernste Sache. Die Schweizer tragen schwer daran, daß es seit jenem historischen Tag, an dem Wilhelm Tell den Apfel vom Kopf seines Söhnchens herunterschoß, in der ganzen Schweiz keine einzige größere militärische Aktion mehr gegeben hat. Dessenungeachtet — oder gerade darum — legen sie Wert darauf, als ein wehrhaftes Volk zu gelten, und man muß zugeben, daß sie sich seit dreihundert Jahren unermüdlich auf ihren Großen Vaterländischen Krieg vorbereiten. In jüngster Vergangenheit hat es auch schon ein paarmal so ausgesehen, als ob — aber dann kam doch immer wieder etwas dazwischen, ohne daß die Schweizer ihre kriegerischen Qualitäten beweisen konnten. Sie haben eben kein Glück.

Höflichkeit. Tüchtigkeit. Pünktlichkeit.

In der Schweiz muß man pünktlich sein, denn auch die Schweizer sind es. Pünktlich wie die Uhrzeiger. Alle öffentlichen Plätze, ob unter freiem Himmel oder gedeckt,

strotzen von öffentlichen Uhren, und noch im kleinsten Bäckerladen gibt es mindestens zwei.
Dem aus Asien kommenden Besucher fällt es nicht immer leicht, das Vertrauen, das die Schweiz in seine Pünktlichkeit setzt, zu rechtfertigen.
Zum Beispiel hatte ich mich für Dienstagabend mit einem Theaterdirektor verabredet, pünktlich um 22 Uhr 15, nach der Vorstellung. Am frühen Abend kam ich in mein Hotel, und da ich die beste Ehefrau von allen bei Freunden abgegeben hatte, blieb mir noch genügend Zeit für ein gesundes Schläfchen. Ich ließ mich mit dem Empfang verbinden und bat, um 21 Uhr 45 geweckt zu werden, denn ich wollte zu dem für mich sehr wichtigen Rendezvous auf die Minute pünktlich erscheinen.
»Gern«, sagte der Empfang. »Angenehme Ruhe.«
Im sicheren Bewußtsein, daß die berühmte Zuverlässigkeit der Schweiz für mich Wache hielt, fiel ich in tiefen, kräftigenden Schlummer. Mir träumte, ich wäre ein original schweizerischer Pudel, umhegt und gepflegt und in Luxus gebettet. Als das Telephon läutete, sprang ich erquickt aus dem Bett und griff mit nerviger Hand nach dem Hörer:
»Danke schön«, sagte ich. »Ist es jetzt genau 21.45?«
»Es ist 19.30«, sagte der Empfang. »Ich wollte nur Ihren Auftrag bestätigen, mein Herr. Sie wünschen um 21.45 geweckt zu werden?«
»Ja«, sagte ich.
Mit Hilfe des bewährten Lämmerzähl-Tricks schlief ich bald wieder ein, schon beim dreißigsten Lamm. Aber zum Träumen reichte es diesmal nicht. Bleierne Schwere hatte mich befallen, und ich fand mich nicht sogleich zurecht, als das Telephon ging.
»Danke«, stotterte ich verwirrt in die Muschel. »Ich bin schon wach.«

»Schlafen Sie ruhig weiter«, sagte der Empfang. »Es ist erst 20 Uhr. Aber ich werde in einer halben Stunde abgelöst und wollte mit der Weitergabe Ihrer Ordre ganz sicher gehen. Mein Nachfolger soll Sie um 21.45 wecken, nicht wahr?«
Mühsam brachte ich ein »Ja« hervor und versuchte aufs neue einzuschlafen. Nach dem sechshundertsten Lamm lag ich noch immer wach. Ich begann Böcke zu zählen. Ich ließ sie übre Zäune springen und wieder zurück. Das erschöpfte mich so sehr, daß ich einschlief. Wie lange ich geschlafen hatte, weiß ich nicht. Ich weiß nur, daß ich vom schrillsten Telephonsignal geweckt wurde, das es je auf Erden gab. Mit einem Satz war ich beim Apparat:
»Schon gut — schon gut — danke.« Dabei warf ich einen Blick nach der Uhr. Sie zeigte auf 20.30.
»Entschuldigung«, sagte mit neuer Stimme der Empfang. »Ich habe soeben die Weckliste übernommen und sah Ihren Namen für 21.45 vorgemerkt. Ist das richtig?«
»Das . . . ja . . . es ist richtig. Danke vielmals.«
»Entschuldigen Sie.«
»Richtig.«
Diesmal blieb ich auf dem Bett sitzen und starrte aus glasigen Augen vor mich hin. Wann immer ich einzunicken drohte, riß ich mich hoch. Manchmal schien es mir, als hätte das Telephon geklingelt, aber das waren nur Halluzinationen, wie sie bei plötzlichen Herzanfällen manchmal auftreten.
Um 21 Uhr 35 hielt ich es nicht länger aus, ließ mich mit dem Empfang verbinden und fragte den neuen Mann, ob alles in Ordnung wäre.
»Gut, daß Sie anrufen«, sagte er. »Ich war eben dabei, nochmals zu kontrollieren, ob es unverändert bei 21.45 bleibt.«

»Unverändert«, antwortete ich und blieb zur Sicherheit am Telephon stehen.
Pünktlich um 21.45 kam das Signal. Ich seufzte erleichtert auf.
An die weiteren Vorgänge kann ich mich nicht erinnern. Als ich am nächsten Morgen erwachte, lag ich noch immer neben dem Telephontischchen auf dem Teppich, die Hand um den Hörer gekrampft. Der Theaterdirektor, den ich sofort anrief, war wütend, gab mir dann aber doch ein neues Rendezvous, pünktlich um 22 Uhr 15, nach der Vorstellung. Um nur ja kein Risiko einzugehen, verlangte ich ein Ferngespräch mit Tel Aviv und gab dem bekannt zuverlässigen Weckdienst der dortigen Telephonzentrale den Auftrag, mich um 21 Uhr 45 MEZ in Zürich zu wecken. Der Weckdienst rief mich auch wirklich keine Sekunde vor 21.45 an. Übrigens auch um 21.45 nicht. Er hat mich überhaupt nie angerufen.

Die Schweiz ist ein dreisprachiges Land. Abgesehen vom Engadin — das einen vierten Volksstamm mit eigener Sprache aufweist, von dem ich aber nur das englischsprechende Hotelpersonal kenne —, wird die Schweiz von deutschen, französischen und italienischen Schweizern bevölkert. Die Deutschen sprechen französisch und italienisch, die Franzosen sprechen französisch, und die Italiener sprechen über die Arbeitsbedingungen. Die Deutschen verachten die Franzosen, die Franzosen verachten die Deutschen, beide verachten die Italiener, und alle drei verachten die Ausländer.
Bevor wir unsern ersten Spaziergang in Zürich unternahmen, plauderte ich ein wenig mit dem Hotelportier.

»Man hat mir gesagt, daß die Schweizer ihre Fahrräder unverschlossen auf der Straße stehen lassen. Stimmt das?«
»Selbstverständlich, mein Herr.«
»Und kommt es nie vor, daß eines gestohlen wird?«
»Selbstverständlich werden sie gestohlen. Wer sein Fahrrad unverschlossen auf der Straße stehen läßt, verdient nichts Besseres. Besonders jetzt, wo es von Fremden wimmelt . . .«
Jeder fünfte Mensch in der Schweiz ist ein Ausländer. Ich bekam die Nummer 1 100 005, meine Frau die Nummer 1 100 010.
Trotz alledem gibt es auch Schweizer Emigranten. Sogar nach Israel sind schon ein paar echte, in der Schweiz geborene Schweizer gekommen. Warum? Was hat sie dazu getrieben, das Land zu verlassen? Der Grund liegt klar zutage: es war die Reinlichkeit.
Gelegentlich eines Besuchs im Züricher Zoo hielten wir vor dem Affenkäfig an und beobachteten die Schimpansenmutter, deren Lieblingsbeschäftigung bekanntlich darin besteht, Flöhe zu jagen. Die Züricher Schimpansenmutter durchsuchte die Kopfhaut ihres Söhnchens eine halbe Stunde lang nach irgendeinem Insekt und fand keines, wie verzweifelt sie auch kratzte und wühlte. Schließlich gab sie es auf, kauerte sich in die Ecke des Käfigs und starrte trübsinnig vor sich hin.
»Ich weiß nicht, was wir dagegen tun sollen«, klagte der Wärter. »Wir haben schon Flöhe importiert, aber sie können sich an die Schweizer Hygiene nicht gewöhnen und nehmen Reißaus. Wie wird das enden?«
Ich konnte ihm keinen Rat geben. Ich konnte ihm nur vom reichen, blühenden Insektenleben des Staates Israel erzählen, in den ich bald wieder zurückkehren würde. Als wir uns verabschiedeten, sah ich Tränen in des Wärters Augen blinken.

Unsere erste Begegnung mit der übernatürlichen Schweizer Sauberkeit erfolgte auf der weltberühmten Bahnhofstraße. Wir hatten eines der umliegenden Warenhäuser durchwandert und waren auf der tadellos funktionierenden Rolltreppe in die vierte Etage gelangt, wo wir zwei tadellos verpackte Schokoladeschnitten erwarben, in Cellophan, mit Tellerchen aus Pappe und ebensolchen Löffelchen. Auf dem Weg ins Hotel konnten wir uns nicht länger zurückhalten, öffneten die Verpackung und taten uns an den Schnitten gütlich. Sie schmeckten wunderbar. Noch nie im Leben hatten wir so wunderbare Schokoladeschnitten gegessen, außer vielleicht zwei Tage zuvor in Italien.
Kaum war der letzte Bissen verschluckt, als in unsrem Rücken aufgeregte Zurufe erschollen. Jemand kam uns nachgerannt.
»Entschuldigen Sie«, keuchte ein wohlsituiert aussehender Herr. »Sie haben Ihre Tellerchen verloren!«
Damit hielt er uns die beiden schokoladeverschmierten Pappendeckel hin, die wir auf dem Höhepunkt unsrer Völlerei achtlos weggeworfen hatten.
»Entschuldigen Sie«, sagte auch ich. »Wir haben das Zeug nicht ›verloren‹. Entschuldigen Sie.«
»Ja was denn sonst?«
»Was meinen Sie? Wieso ja was denn sonst?«
»Wie hätte ich es sonst auf dem Straßenpflaster gefunden?«
In diesem Augenblick riß die beste Ehefrau von allen den klebrigen Abfall, den der ehrliche Finder noch immer in der Hand hielt, mit einem raschen »Danke schön!« an sich und zerrte mich weiter.
»Bist du verrückt geworden?!« zischte sie mir zu. »Hast du vergessen?!«
Ich erbleichte. Ja, ich hatte vergessen, daß wir uns in der

reinlichen Schweiz befanden, in der blitzblanksten Straße ihrer saubersten Stadt. Auch nicht das kleinste weggeworfene Papierchen war zu sehen. Höchstens da oder dort auf dem Straßenpflaster der eine oder andre ausgebleichte Fleck, der beim Scheuern nicht restlos verschwunden war. In der Ferne liquidierte ein gutgekleideter Straßenkehrer mit einem antiseptischen Besen einige Brotkrumen. Sonst nichts als Sauberkeit, Sauberkeit, Sauberkeit. Und dieses makellose Panorama hatte ich durch den frevlen Wegwurf zweier schmutziger Pappendeckel zu verunstalten gewagt!

Von Scham und Reue zerfressen, faltete ich die beiden Reste behutsam zusammen, mit den Klebeseiten nach innen.

»Das wäre soweit in Ordnung«, sagte ich zu meiner befriedigt nickenden Gattin. »Aber was jetzt? Ich kann das Zeug nicht die ganze Zeit mit mir herumschleppen. Schließlich bleiben wir noch zwei Wochen in der Schweiz . . .«

»Sei unbesorgt. Wir werden schon etwas finden, wo wir's auf gesetzliche Weise loswerden. Eine offizielle Abfallstelle oder so etwas.«

Es war elf Uhr vormittag, als sie das sagte. Um zwei Uhr nachmittag hielt ich die beiden Pappendeckelreste noch immer in meinen von Schweiß und flüssiger Schokolade verschmierten Händen. Wenn wir wenigstens ein Papier zum Einwickeln gefunden hätten! Aber dem sehnsüchtig suchenden Blick zeigte sich nichts dergleichen.

Wir bestiegen einen Triebwagen der sprichwörtlich sauberen Zürcher Straßenbahn und setzten uns an ein offenes Fenster. In ein lebhaftes, gestenreiches Gespräch vertieft, warteten wir auf die erste brauchbare Kurve. Dort warf ich den Pappendeckelbrei mit einer raschen Bewegung zum Fenster hinaus.

Die Bremsen kreischten. Nach wenigen Metern kam der Wagen zum Stillstand. Ich stieg folgsam aus, um den verlorenen Wertgegenstand zu holen, und bedankte mich beim Wagenführer: »Sehr aufmerksam von Ihnen. Glücklicherweise ist den Dingern nichts passiert. Danke vielmals.«

Jetzt gerieten wir allmählich in Panik. Mit dem Mute der Verzweiflung wandte ich mich an einen älteren Herrn, der in unsrer Nähe saß, und fragte ihn, was er täte, wenn er sich zum Beispiel eines schmutzigen Stückes Papier entledigen wollte. Der ältere Herr dachte nach und meinte dann, der von mir angenommene Fall sei so unwahrscheinlich, daß er sich ihn kaum vorstellen könne, aber rein theoretisch gesprochen würde er das Papier zu sich nach Hause nehmen und es am Sonntag verbrennen. Ich weihte ihn in mein Geheimnis ein und fügte hinzu, daß das fragliche Papiermaterial in die Kategorie »Abfall« gehörte. Daraufhin gab er mir seine Adresse und lud uns für den nächsten Nachmittag ein; wir könnten dann gleich ein paar Monate zu Gast bleiben, seine Frau würde sich freuen.

Ich war drauf und dran, seine Einladung anzunehmen, besann mich aber rechtzeitig, daß wir uns ja gar nicht so lange in der Schweiz aufhalten wollten, dankte ihm mit überströmender Herzlichkeit und gab ihm zu verstehen, daß ich von seinem Angebot nur in einem unvorhergesehenen Dringlichkeitsfall Gebrauch machen würde; mittlerweile sei mir nämlich ein andrer, näherliegender Ausweg eingefallen: ich würde das Zeug als »Muster ohne Wert« mit der Post nach Israel schicken.

»Aber was werden sie in Israel damit machen?« erkundigte sich besorgt mein theoretischer Gastgeber.

»Sie werden es in den Jordan werfen.«

Damit war er beruhigt, und wir nahmen tränenreichen Abschied voneinander.

In einem alleenreichen Villenvorort stiegen wir aus. Mein Plan, die Dunkelheit abzuwarten und das Papierbündel unter einem Baum zu vergraben, erwies sich leider als undurchführbar, weil alle Bäume mit schmiedeeisernen Schutzgittern umgeben waren. Hängenden Kopfes trotteten wir in die Stadt zurück.

Und da — plötzlich — mitten in der Stadtmitte — an einem Laternenpfosten — sah ich einen Abfallbehälter hängen, einen wirklichen, wahrhaftigen, zauberhaft gelb gestrichenen Kasten mit der Inschrift: HALTET ZÜRICH REIN! ABFÄLLE — HIER!

Ich torkelte hin, umklammerte den Kasten wie ein Fliehender die rettende Freistatt, warf den Pappendeckel hinein und schloß meine Frau, deren Antlitz von einem unirdischen Lächeln der Glückseligkeit überstrahlt war, aufschluchzend in die Arme. Dann machten wir uns Hand in Hand auf den Weg ins Hotel.

»Entschuldigen Sie«, sagte der Polizist, der uns nach wenigen Schritten aufhielt. »Sie müssen Ihr Päckchen wieder herausnehmen. Das ist ein ganz neuer Abfallkorb. Wir wollen ihn reinhalten.«

»Ja ... aber ...«, lallte ich und deutete mit einer lahmen Gebärde auf die Inschrift. »Es heißt doch ganz ausdrücklich: Abfälle — hier!«

»Das gilt nur für Kehricht. Nicht für Müll oder sonstige kompakte Gegenstände. Haltet Zürich rein.«

Ich senkte meinen Arm tief in den Abfallkorb und fischte den Pappendeckel heraus. Mir war zumute wie einem verendenden Reh. Meine Stimme klang mir selber fremd, als ich mich an die beste Ehefrau von allen wandte:

»Es bleibt nichts andres übrig. Ich muß es aufessen.«

»Um Himmels willen! Untersteh dich nicht, dieses drekkige Zeug in den Mund zu nehmen!«

»Gut«, flüsterte ich. »Dann lasse ich's kochen!«
Damit stürzte ich in das Restaurant, an dem wir gerade vorbeikamen. Der Oberkellner sah mich und eilte herbei.
»Abfallpapier?« fragte er dienstfertig. »Wünschen Sie es gedünstet oder gebraten?«
»Gebraten, bitte. Halb englisch.«
»Wie üblich«, nickte der Ober, legte das Zeug auf einen Silberteller und trug es in die Küche.
Nach zehn Minuten brachte er es zurück, dampfend und mit Gemüsen garniert. Ich nahm den ersten Bissen und spuckte ihn aus:
»Das ist ja angebrannt!« rief ich. »Vollkommen ungenießbar!«
Wir sprangen auf und enteilten. Vor unsrem geistigen Auge erschien der gute, alte Rothschild-Boulevard in Tel Aviv mit hunderten kleinen Abfallhäufchen, die in der strahlenden Sonne des Mittelmeeres lustig glitzerten.

Ein Obelisk in jedem Rucksack

Aufregende Mitteilungen über die Geheimnisse von Paris, mit zahlreichen pornographischen Untertönen. — Der Tourist als Verkörperung des absoluten Nichts. — Wir brechen den Langstreckenrekord im Taxi-Umwegfahren. — Ich werde wie durch ein Wunder in die Privatwohnung eines Franzosen eingeladen und dort von den sieggewohnten Truppen der Grande Armée überrannt. — Die Gefahren des Rauchens. — Ich begebe mich freiwillig meiner Touristen-Immunität und beschwöre eine gastronomische Katastrophe herauf. — Warum es sich nicht empfiehlt, mit dem Hemd über der Hose auf dem Montmartre spazieren zu gehen. — Endlich: Begegnung mit dem authentischen Geschlechtsleben und der Prostitution. — La Belle et la Bête. — Eine fröhliche Großmutter steigt in einem goldenen Käfig aus den Wolken herab und verursacht mir die zwei schlimmsten Stunden meines Lebens.

Kaum rollt der Zug über die Grenze nach Frankreich, wird dem Reisenden zumute wie einem Astronauten, der das Gravitationsfeld der Erde verlassen hat. Alle bisherigen Lebensbedingungen sind aufgehoben. Im herkömmlichen Sinn existiert man nicht mehr. Gewiß, man atmet, man ißt, man bewegt sich noch — aber niemand bemerkt es, niemand nimmt es zur Kenntnis. Man ist Luft. Man ist ein ausländischer Tourist.

Auf dem Höhepunkt der Reisesaison halten sich in Paris, der Hauptstadt der Welt, ungefähr eine Million Fremde auf. Es ist wirklich nicht zu erwarten, daß die armen Franzosen sich in dieser babylonischen Vielfalt von Völkern und Sprachen auskennen. Und noch in einer andern Erwartung wird man enttäuscht. Man stellt mit Schrecken fest, daß man des Französischen unkundig ist, daß man vom Französischlehrer (oder von der Französischlehrerin) der eigenen Jugendjahre schmählich betrogen wurde. Man kann sich auf Französisch nicht verständigen, oder höchstens mit Italienern.

Zum Teil liegt allerdings auch das an den Franzosen selbst: weil sie so wahnsinnig schnell reden. Ihnen macht das keine Schwierigkeiten. Aber für den Fremden ist es eine Katastrophe. Einmal hatte ich in einem Lebensmittelgeschäft einen Einkauf getätigt und fragte nach der Höhe der Rechnung; der Ladeninhaber antwortete in Sekundenschnelle:

»Senksansenkansenk.«

Ich bat ihn durch Worte und Gesten um eine langsamere Wiederholung, worauf er seine Anstrengungen verdoppelte:

»Senksansenkansenksenksansenkansenk!!«
Als ich noch immer nicht verstand, rang er nach Luft, schluckte, griff nach einem Bleistiftstummel und schrieb die Ziffer aufs Ladenpult: 555. Auch das ging sehr schnell, aber jetzt verstand ich.

Wir waren am späten Morgen in der Lichterstadt angekommen. Alles ging planmäßig vonstatten, es herrschte freundliches Wetter, die Reise war angenehm, und im Hôtel St. Paul, 15 rue St. Honoré, war für uns ein Zimmer reserviert. Obendrein hatten wir im Zug einen alten Freund getroffen, der zeitweilig in Paris lebte und uns mit ein paar guten Ratschlägen versah:
»Ihr müßt unbedingt darauf achten, ein kleines Taxi zu nehmen«, riet er uns. »Beim Einsteigen nennt ihr Namen und Adresse eures Hotels, und bis zum Aussteigen sprecht ihr kein weiteres Wort. Pariser Taxichauffeure wittern Fremde auf hundert Meter gegen den Wind. Und ihr wißt, welche Folgen das für eure Brieftasche hätte.«
»Wir wissen es von Lipschitz«, bestätigten wir und machten sofort ein paar kurze Sprechproben. Da die beste Ehefrau von allen als echtbürtige Sabre das gutturale R perfekt beherrscht, wurde sie mit der Nennung der Adresse betraut und übte fleißig den entscheidenden Satz: »Quinze rue St. Honoré, Hôtel St. Paul... quinze rue St. Honoré...«
Ferner riet uns unser Freund, bei der Adressenangabe und anderen wichtigen Verhandlungen eine Zigarette lässig im Mundwinkel baumeln zu lassen, was nicht nur typisch französisch aussähe, sondern auch gewisse Unebenheiten

unserer Aussprache camouflieren würde. Und während der Zug schon in die Halle rollte, schloß er ab:
»Euer Hotel liegt in der Nähe der Place de la Concorde, wenige Minuten vom Bahnhof. Die Fahrt sollte euch nicht mehr als drei neue Francs kosten.«
Alsbald hatten wir ein kleines Taxi gefunden, und während wir unser Gepäck unter den wachsamen Blicken des Chauffeurs in den Kofferraum zwängten, veranstaltete unser Freund eine französische Schnellfeuer-Konversation, die wir nur gelegentlich durch einen kleinen Bestandteil unsres reichen Vokabelschatzes unterbrachen, etwa durch ein »oui«, ein »non« oder ein stummes Achselzucken.
Dann war es so weit. Nachdem wir unsrem Freund noch einmal zugewinkt hatten, steckte meine Frau eine Zigarette in ihren Mundwinkel, schaltete ihr bestes eingeborenes Guttural-R ein und sagte:
»Quinze rue St. Honoré, Hôtel St. Paul.«
Es läßt sich nicht leugnen, daß wir maßlos aufgeregt waren. Aber der Fahrer merkte nichts. Mit geschäftsmäßiger Gleichmütigkeit startete er und fuhr los. Alles war in bester Ordnung. Wir ließen uns in den Sitz zurücksinken, eng aneinandergeschmiegt wie ein Liebespaar, so daß unser Schweigen dem Fahrer nicht weiter auffiel. Nach wenigen Minuten passierten wir den Obelisk auf der Place de la Concorde. Meine Frau griff nach der französischen Zeitung, die ich demonstrativ in der Hand hielt, und kritzelte mit ihrem Augenbrauenstift an den Rand:
»Wir werden gleich im Hotel sein. Der Idiot von einem Fahrer hält uns für Franzosen.«
Unerforschlich jedoch ist Gottes Ratschluß, wahrhaft unerforschlich. — Ein paar Sekunden später öffnete meine Frau ihre Handtasche, warf einen angstvoll suchenden Blick hinein und erbleichte:

»Oj!« rief sie in lautem, unverfälschtem Hebräisch. »Wo, um Gottes willen, sind unsere Pässe?«
Ich hielt ihr rasch den Mund zu (die Pässe befanden sich, wie immer, in meiner rechten Brusttasche) und versuchte im Rückspiegel das Gesicht des Fahrers zu erspähen. Umsonst. Nun, wenigstens hatte er sich nicht nach uns umgewandt. Es schien mir nur, als ob er ein paarmal mit den Ohren gezuckt hätte. Sonst geschah nichts. Außer, daß er plötzlich das Lenkrad scharf nach links drehte und Gas gab.
Unruhe erfaßte uns. Es war keine Frage mehr: der Schrekkensruf meiner Gattin hatte uns als Ausländer entlarvt. Jetzt hieß es handeln, sonst waren wir verloren. In die angespannte Stille — und so, daß der Fahrer es hören konnte — ließ ich mein bestes Französisch los:
»Comment allez vous? La plume de ma tante est plus belle que le jardin de mon oncle. Garçon, je voudrais manger. L'addition, s'il vous plaît.«
Noch während die Durchsage lief, sah ich im Rückspiegel das eine Auge des Fahrers auf mich gerichtet, direkt auf mich, ein großes, graues, stählernes, unbarmherziges Auge. Ich begann zu zittern und fühlte, wie mir der Schweiß ausbrach. In diesem Augenblick fiel die beste Ehefrau von allen aus einer instinktiven Eingebung über mich her und begann mich zu küssen, à la Parisienne, wie eben nur Französinnen in der Öffentlichkeit zu küssen verstehen ...
Als der Kuß zu Ende war, zeigte das Taxameter 5,60 Francs. Der Fahrer hatte uns durchschaut. Er wußte, daß wir keine Franzosen waren. Er, Jean-Pierre, wußte es. Auch die Art, wie er jetzt fuhr, war ein Beweis dafür. Immer neue Linkskurven warfen uns immer wieder in die rechte Ecke des Fonds. Kaum hatten wir die Seine überquert, kam wieder eine scharfe Wendung nach links und dann wieder die Seine. Wir überquerten sie mehrere Male.

Dann passierten wir einen langen Tunnel und dann einen neuen Obelisk. Ich konnte mich einer tadelnden Bemerkung nicht enthalten:
»Diese Franzosen mit ihren ewigen Säulen«, flüsterte ich meiner Gattin zu.
»Es ist der Obelisk von vorhin«, entgegnete sie tonlos.
Das Taxameter stand auf 9 Francs. Das war genau das Dreifache der von unsrem Freund veranschlagten Summe.
Vielleicht interessiert es den geneigten Leser, warum wir nichts unternahmen, um den Wagen, der wie ein scheugewordener Satellit im Weltraum umhersauste, zu stoppen? Dafür gibt es verschiedene Erklärungen. Erstens sind wir beide von Natur aus eher schüchtern. Zweitens sprechen wir beide — der geneigte Leser erinnert sich vielleicht — sehr schlecht französisch. Und drittens: was sollten wir tun? Ein andres Taxi nehmen? Schließlich hatte uns Jean-Pierre jetzt schon durch einen ansehnlichen Teil Frankreichs geführt, wir kannten seine Fahrweise, seine Eigenheiten und Schwächen — warum sollten wir uns auf Experimente mit einem neuen Chauffeur einlassen? Trotzdem gaben wir noch nicht völlig auf. Meine Frau versuchte es abermals mit einer Aktion à la Parisienne, aber ich war außerstande, ihr den richtigen Partner abzugeben. Wir mußten unsere Kräfte sparen, mußten unsere Verluste möglichst niedrig halten und weiterkämpfen. Jean-Pierre, daran bestand kein Zweifel, fuhr mit uns im Kreise. In regelmäßigen Intervallen von sechs Minuten kamen wir an dem Obelisk vorbei, also genau zehnmal in der Stunde. Selbst wenn wir für die Verkehrsstauungen während der Stoßzeit eine geringere Quote einsetzten, ergaben sich noch immer rund 240 Obelisk-Umkreisungen pro Tag, und das bedeutete pro Woche . . .
Als das Taxameter auf 17 Francs sprang, öffnete der Fah-

rer das Handschuhfach und entnahm ihm eine erste Mahlzeit, bestehend aus belegten Broten, kleinen Essiggurken und Obst. In einer hebräisch geführten Lagebesprechung stellten wir fest, daß unsere eigenen Vorräte sich auf zwei Äpfel, eine Orange, eine vertrocknete Semmel und etwas Kaugummi beschränkten. Wenn wir sehr sparsam damit umgingen, könnten wir vielleicht bis morgen abend durchhalten. Länger nicht.

Plötzlich zuckte ein Aufleuchten über das verhärmte Antlitz meiner Frau:

»Benzin!« brach es jauchzend aus ihr hervor. »Der Kerl wird ja Benzin brauchen! Irgendwann muß er tanken — und wir sind gerettet!«

Ich beugte mich vor, um einen Blick auf den Kontrollanzeiger zu werfen. Der Tank war noch nicht einmal zur Hälfte geleert. Und das Taxameter stand auf 21,50.

Wir beschlossen vorsorglich, mit Einbruch der Dunkelheit immer abwechselnd eine Stunde zu schlafen, sonst würde Jean-Pierre vielleicht heimlich tanken und weiterfahren.

Fünf- oder sechsmal versuchten wir sein Wohlwollen zu erregen, indem wir beim Anblick des Obelisken ein bewunderndes »Oh!« ausstießen. Jean-Pierre reagierte nicht. Sein breiter, mächtiger Rücken blieb reglos, auch bei der schärfsten Linkskurve.

Das Taxameter zeigte 30 Francs. Ich nahm meine Nagelfeile und ritzte in den Plastikbelag der Querleiste folgende Inschrift:

»In diesem Taxi verhungerten im August 1963 Ephraim Kishon und Frau.«

Und dann, gerade als wir alle Hoffnung aufgeben wollten, hielt der Wagen an, ich weiß nicht wieso und warum. Vielleicht war Jean-Pierre von Müdigkeit überkommen worden, vielleicht von irgendwelchen menschlichen Regungen, von Gedanken an Weib und Kind — jedenfalls drehte er nach dem Obelisk auf der Place de la Concorde plötzlich nicht mehr links ab, sondern fuhr noch etwa hundert Meter geradeaus und hielt vor dem Hôtel St. Paul.

»Quarantquatre«, sagte er.

Er meinte Francs, 44 Francs, mit Trinkgeld 48. Immerhin weniger als 50.

Wir brachten unsere steifgewordenen Gliedmaßen in Ordnung und kletterten aus dem Wagen. Und schon erwachte in meiner Gattin die nörgelnde Weibsnatur. Statt sich der endlichen Rettung zu freuen, ließ sie ihrer Empörung freien Lauf:

»Eine Unverschämtheit! Wenn das ein israelischer Chauffeur gewagt hätte, würde es gleich wieder heißen, daß so etwas nur in Israel möglich ist.«

Jean-Pierre streifte uns mit einem erstaunten Blick und bat den eben herangekomenen Hotelportier, unsere Worte zu übersetzen. Dann fragte er:

»Sie kommen aus Israel?«

Wir bejahten.

»Warum haben Sie das nicht gleich gesagt? Israelis zahlen die Hälfte. Geben Sie mir 25 Francs und der Fall ist erledigt ...«

Der durchschnittliche Franzose kann keine Ausländer leiden, weil er das Gefühl hat, vom ganzen Universum einschließlich Sonne und Mond verkauft und verraten worden zu sein. Er liebt Frankreich und Siamkatzen, ehrt General de Gaulle, auf daß er lange lebe auf Erden, verabscheut jedoch die Regierung, den Krieg, den Regen, den Fremdenverkehr, die Franzosen und sich selbst. Nach mei-

ner persönlichen, wissenschaftlich nicht ganz unfundierten Ansicht rührt diese Gemütsverfassung von den allzu steilen Stiegen der Metro her; es könnte aber auch daran liegen, daß die letzte Tour de France von einem Belgier gewonnen wurde. Im übrigen sind nicht die Engländer, wie man allgemein annimmt, die wahren Meister im Distanzhalten, sondern die Franzosen. Sie haben sogar die Namensschilder an den Wohnungstüren abgeschafft, um garantiert unauffindbar zu bleiben.
Dennoch war Jean-Pierres großherzige Geste keiner bloßen Laune entsprungen. Die Israelis werden, seit sie im Suez-Feldzug Schulter an Schulter mit den Franzosen gegen die Amerikaner gekämpft haben, in Frankreich als Bundesgenossen betrachtet, und diese Bundesgenossenschaft trägt manchmal unerwartete Früchte. Ich, zum Beispiel, wurde einmal von einem Franzosen privat eingeladen. Ich. Von einem Franzosen. Privat. In seine Wohnung. In sein Heim. Ausländer, die seit mehr als zwanzig Jahren in Frankreich leben, versicherten mir, daß es in der glorreichen Geschichte des Landes keinen Präzedenzfall für eine solche Einladung gibt. Noch nie hat ein Ausländer die Wohnung eines Franzosen betreten, es sei denn, um die Fenster zu waschen. Und ich möchte ausdrücklich bemerken, daß mein Gastgeber, als er mich einlud, nicht etwa betrunken war, sondern den Eindruck eines ausgeglichenen, im Vollbesitz seiner gesunden Sinne befindlichen Menschen machte. Es handelte sich ganz offenbar um eine einmalige Naturerscheinung.
Allerdings machte ich seine Bekanntschaft beim Internationalen Theater-Festival, und das bedeutet einige Minuspunkte. Während der Vorstellung einer israelischen Truppe saß ich neben einem älteren Herrn, der ununterbrochen wissen wollte, was zum Teufel denn eigentlich auf der

Bühne los sei. Ich erklärte ihm, daß er das Leben in einem sogenannten »Kibbuz« sähe, einer landwirtschaftlichen Kollektivsiedlung, wo die Menschen freiwillig arbeiten, die eine Hand am Pflug, die andre am Gewehr, die dritte auf der Bibel. Mein neuer Freund, Monsieur Rapue, teilte mir daraufhin mit, daß auch er oder genauer gesagt sein Großvater gegen die Preußen gekämpft hätte. Von da wechselte unser Gespräch zu den Chinesen, zur Roulette, und zum Jüngsten Gericht. Möglicherweise war es dieses letzte Thema, das Monsieur Rapue veranlaßte, seine traditionelle Zurückhaltung aufzugeben und mich in seine Wohnung einzuladen.

»Kommen Sie Freitag abend nach dem Diner«, sagte er. »Es kommen auch noch ein paar andere Leute nach dem Diner.«

»Merci«, antwortete ich. »Ich komme also Freitag abend nach dem Diner.«

»Nehmen Sie die Metro Bonaparte bis zum Napoleon-Obelisk. Überqueren Sie die Place de la Grande Armée in Richtung Arc de Triomphe. An der Kreuzung der Avenue du 7 Novembre mit der Rue du 28 Mai finden Sie das Haus Marengo. Sie erkennen es an der links vom Eingang angebrachten Marmorplatte, aus der genau hervorgeht, wann der Grundstein dieses Hauses gelegt wurde. Es war genau 104 Jahre, nachdem Napoleon die italienischen Armeen an der Brücke von Marengo zerschmettert hatte. Auf Wiedersehen Freitag abend nach dem Diner.«

Am Freitagabend nahm ich ein umfangreiches Diner zu mir und machte mich auf den angegebenen Weg. Den zur Einnerung an Napoleons Sieg bei Friedland errichteten Obelisk fand ich ohne Mühe, aber dort, wo die Place de la Grande Armée sein sollte, stand das Keramische Museum, das im Gebäude einer ehemaligen Kadettenschule untergebracht war. Nach einigen Minuten vergeblichen Wanderns bat ich einen Verkehrspolizisten um Auskunft. Er belehrte mich, daß der von mir gesuchte Obelisk nicht der Friedland-Obelisk sei, sondern der Obelisk zu Ehren des Siegs in Ägypten zwischen der Rue 11 Janvier und der Rue 12 Janvier. Anschließend fragte er mich nach meiner Nationalität. Ich gab mich als Israeli zu erkennen und sah, wie seine Augen aufleuchteten. Napoleon, so erklärte er mir, hätte vor der Unterwerfung Ägyptens bekanntlich Accra und Jaffa erobert. Ich nickte zustimmend, obwohl die Festung Accra gar nicht daran gedacht hatte, sich von Napoleon erobern zu lassen.

Kaum eine halbe Stunde später stand ich vor dem Haus Marengo und eine weitere Viertelstunde später vor der Wohnung von Monsieur Rapue. Dort war bereits eine kleine, aber vornehme Gesellschaft versammelt. Alle sprachen fließend Französisch, eine Sprache, der meine hoffnungslose Liebe gilt. Nach einer Weile wandte sich die Unterhaltung dem Nahen Osten zu. Es herrschte volle Einigkeit über die strategische Bedeutung des Staates Israel.

»Schon zur Zeit, als der Kaiser vor der Unterwerfung Ägyptens Accra und Jaffa eroberte ...«, begann einer der Gäste und verlor sich in einer ausführlichen Schilderung der genialen taktischen Manöver, die der Korse im Schatten der Pyramiden durchgeführt hatte. Besonders an der Erscheinung des großen Feldherrn, wie er auf weißem Zelter einsam einen Hügel hinanritt, indessen die Strahlen der untergehenden Wüstensonne seine Gestalt in einen goldenen Schimmer tauchten, entzündete sich die Phantasie des Sprechers. Das, so äußerte er verträumt, müßte eigentlich ein großartiges Gemälde abgeben. (Zwei solche Gemälde hingen in Öl an der Wand.)

Ich meinerseits, als kurzfristiger Besucher mehr von praktischen Interessen beherrscht, erkundigte mich nach den Sehenswürdigkeiten, die ich während meines Aufenthalts unbedingt besichtigen müßte. Man nannte mir die folgenden:

Das Grab Napoleons. Den Arc de Triomphe. Sämtliche Kriegsmuseen, besonders die der Schlachten von Jena, von Austerlitz und von Wagram, aber auch alle anderen. Sämtliche Lieblingsschlösser des Kaisers, besonders das in Malmaison, in Saint Germain, in ...

Mein Kopf begann sich zu drehen. Gewiß, Napoleon trägt mit Recht den stolzen Beinamen »der Adler«, aber ich habe auch für Spatzen etwas übrig. Vielleicht bin ich ihm nur neidig, weil er die Welt erobert hat und ich nicht. Und außerdem ist es mit seinen Welteroberungen, wenn man näher zusieht, nicht gar so weit her. Unser Geschichtsprofessor im Gymnasium antwortete einmal auf die respektlose Frage, wozu Napoleon den ägyptischen Feldzug überhaupt unternommen habe: der General wollte die Pyramiden nach Frankreich schaffen. Niemand weiß besser als ich, daß er statt dessen mit selbstgebastelten Obelisken hat vorlieb nehmen müssen ...

Während solche und ähnliche Häresien mir durch den Kopf gingen, war die übrige Gesellschaft bei der Schlacht von Wagram angelangt, wo der Kaiser die vereinigten Armeen Rußlands, Preußens und Österreichs aufgerieben hatte, ehe er seinen berühmten Winterfeldzug begann und Moskau eroberte.

»Kein Feldherr außer Napoleon hat jemals Moskau erobert«, bemerkte ein anwesender Sportjournalist im Tonfall absoluter Endgültigkeit.

»Und nachher?« fragte ich.

»Was: nachher?«

»Ich meine: nachher.«
»Na ja, nachher ... Der Rest ist Geschichte.«
Unser Gastgeber nahm einen Schluck von seinem Napoleon-Cognac und äußerte mit unüberhörbar gehässigem Unterton:
»Nachher tat sich eine Bande reaktionärer Kaiser und Könige zusammen, um den Genius der Revolution abzuwürgen.«
Ich wagte den flüsternden Einwand:
»Aber war denn nicht auch Napoleon ein Kaiser? Und König von Italien?«
»Eben!« lautete die beißende Replik. »Das konnten diese Snobs eben nicht ertragen ...«
»Ich verzeihe den Engländern alles«, ließ sich ein andrer vernehmen, indem er die auf dem Kamin stehende Napoleon-Büste streichelte. »Schließlich sind sie keine Europäer. Aber daß der sadistische Gouverneur von St. Helena den Kaiser mit ›Sir‹ angesprochen hat — das verzeihe ich ihnen nicht.«
Um dem Gespräch eine Wendung zu geben, bot ich einigen zunächststehenden Herrn von meinen Zigaretten an. Sie kehrten mir indigniert den Rücken. Erst jetzt entdeckte ich den Fauxpas, den ich begangen hatte: es waren »Nelson«-Zigaretten, und das Porträt des legendären Admirals prangte deutlich sichtbar auf der Schachtel. Er sah so zufrieden aus, als hätte er gerade die französische Flotte vernichtet. Das Ganze war sehr peinlich. Auch mein verlegenes Gemurmel, daß irgend jemand dieses ungenießbare, ordinäre Kraut in meine Tasche geschmuggelt haben müsse, konnte den Wall aus eisiger Ablehnung, der mich umgab, nicht mehr durchbrechen. Ich verabschiedete mich, ohne daß mich jemand zurückgehalten hätte.
Aus purer Höflichkeit — vermutlich um meinem Abgang

einen harmlosen Charakter zu geben — fragte mich Monsieur Rapue nach meiner Londoner Adresse. Selig über die Chance, den Zorn der Gäste ablenken zu dürfen, sprudelte ich hervor:
»Wellington Circle. Ecke Trafalgar Square. Hotel Waterloo ... um Gottes willen ...«
Niemand reichte mir die Hand. Mein Gastgeber geleitete mich wortlos zur Türe, ungerührt von meinen Beteuerungen, daß es nicht meine Schuld sei, wenn jede zweite Straße in London nach einer Schlacht oder einem Heerführer hieße, und wenn ihnen Namen wie Wellington oder Waterloo ausgingen, erfänden sie sogar andere, die sich darauf reimten, wie Kensington oder Bakerloo ... Monsieur Rapue warf dröhnend die Türe ins Schloß.
Ich taumelte die Stiegen hinunter, überquerte die Rue de Tilsitt und steuerte auf den nächstbesten Triumphbogen zu.

Für die Entwürdigung, die der große Korse seitens der Engländer erdulden mußte, rächen sich die Franzosen auf wahrhaft souveräne Art. Damit meine ich nicht etwa ihr Veto gegen die Aufnahme Englands in die EWG. Ich meine die französische Küche.
Ein Brite, der den Kanal überquert und in einem französischen Restaurant die erste Mahlzeit eingenommen hat, ist nicht mehr derselbe wie zuvor. Seine Überzeugung von der Überlegenheit Englands über die Völkerschaften des Kontinents löst sich in nichts auf und entschwebt im würzigen Duft der Sauce chasseur au poivre, die dem Poulet farci Henri IV à la mode de la reine de Navarre sur un lit de riz préparé par le chef beigegeben ist. Er sieht die Welt fortan mit anderen Augen.

Auch ich, obwohl ich seit 1948 nicht mehr unter britischer Oberhoheit stehe, sondern ein autonomer Israeli bin, reagiere ganz ähnlich wie meine einstigen Mandatsherren. Von Zeit zu Zeit befällt mich manisch-depressive Sehnsucht nach der französischen Küche, schon die bloße Vorstellung einer Soupe à l'oignon treibt mir Tränen des hoffnungslosen Verlangens in die Augen, und wehes Schluchzen durchschüttert mich in Gedanken an die langen Stangen französischen Weißbrots, die man im Straßenverkehr an beiden Enden mit kleinen roten Flaggen versehen muß.

Gewiß, auch die Italiener verstehen sich aufs Kochen, unternehmen aber — jetzt einmal abgesehen von den unentrinnbaren Spaghetti — ihre wirklichen Anstrengungen nur in den auf Fremdenverkehr eingestellten Restaurants. Die Franzosen hingegen machen aus dem Essen auch für sich selbst eine heilige Handlung. Davon kann man sich in jedem beliebigen Restaurant überzeugen.

Und das brachte mich an jenem Sonntag an den Rand des Hungertodes.

Tief im Bois de Boulogne, an der Kreuzung zweier schwer zugänglicher Seitenwege, liegt ein kleines, unauffälliges Restaurant, das nur von Einheimischen frequentiert wird. An jenem Sonntag barst es schier von Gästen, und am Eingang wartete eine Schlange eßlustiger Franzosen auf das Freiwerden von Plätzen. Zwischen den dichtbesetzten Tischen eilten zwei schwitzende, unter der Last ihrer Arbeit tief gebückte Kellner hin und her und bestätigten aufs neue die alte Regel, daß es in einem französischen Restaurant entweder zu viel oder zu wenig Kellner gibt, aber nie die richtige Anzahl. So unverkennbar echt war die Atmosphäre, mit so authentischem Zauber nahm sie mich gefangen, daß ich in sträflichem Leichtsinn alle Warnungen der Eule Lipschitz vergaß und mich an einen Tisch setzte, der wunderbarerweise vollkommen leer inmitten des Lokals stand. Lässig ließ ich mich auf den freien Stuhl nieder (es war nur ein einziger vorhanden), räkelte meine drahtigen Glieder und stellte nicht ohne Befriedigung fest, daß ich mich in verhältnismäßig kurzer Zeit bereits völlig an den Lebensstil der Franzosen angeglichen hatte. Dann griff ich nach der Karte, überflog sie geübten Blicks und entschied mich für ein Entrecôte.

»Garçon!« rief ich in bestem Französisch. »Un entrecôte!«

Der Kellner, einen Ausdruck aristokratischer Unnahbarkeit im Gesicht und sieben hochgetürmte Teller in den Händen, wischte an mir vorbei, ohne mich auch nur anzusehen. Ich wartete, bis er aus der Gegenrichtung wieder den Tisch passierte:

»Garçon! Un entrecôte!«

Diesmal würdigte mich der Aristokrat wenigstens eines flüchtigen Blicks, aber das war auch alles. Ich strich ihn aus der Liste meiner Bekannten. Ohnehin sah sein Kollege, der einen buschigen Schnurrbart trug, aussichtsreicher aus:

»Garçon! Un entrecôte!«

Der Angeredete — er trug außer dem Schnurrbart eine noch größere Anzahl von Tellern als sein Vorgänger — verschwand wortlos in der Menge. Jetzt wurde ich doch ein wenig unruhig und fragte mich, ob ich nicht vielleicht in die Stoßzeit geraten wäre. Rings um mich löste der größere Teil der Pariser Bevölkerung mit hörbarem Vergnügen das sonntägliche Ernährungsproblem. Und mir als einzigem sollte diese Lösung versagt bleiben? Als ich den Aristokraten wieder herannahen sah, sprang ich auf und verstellte ihm den Weg:

»Garçon! Un entrecôte!«

Er rannte mich nieder. Er ging über mich hinweg, als ob er mich nicht gesehen hätte. Ich war unsichtbar geworden. »Lipschitz!« zuckte es durch mein Hirn, während ich mich mühsam vom Boden erhob. Hatte mir Lipschitz nicht gesagt, daß man als Tourist kein Mensch sei? Offenbar war das ganz wörtlich zu verstehen. Vielleicht war ich schon tot und wußte es nicht...

Ein hungriges Knurren aus meiner Magengegend brachte mich in die Wirklichkeit zurück. Als der Schnurrbart wieder an meinem Tisch vorbeikam, erwischte ich ihn an den Frackschößen:

»Garçon! Un entrecôte!«

»Sofort«, antwortete er und suchte sich verzweifelt aus meinem Doppelnelson herauszuwinden. Aber ich ließ nicht locker. Ich stellte ihm die Frage, die mich schon seit einiger Zeit beschäftigte:

»Warum geben Sie mir nichts zu essen?«

»Das ist nicht mein Tisch!« Er begleitete diese Auskunft mit einigen heftigen Tritten gegen mein Schienbein.

Ich ließ ihn los. Wenn das nicht sein Tisch war, dann hatte ich kein Recht, ihn zurückzuhalten.

Mit erneuter Inbrunst wandte ich mich dem Aristokraten zu, suchte durch lautes Klatschen seine Aufmerksamkeit zu erregen und durch körperliches Dazwischentreten seinen Weg zu blockieren. Er ging abermals durch mich hindurch.

Jetzt begann mein Erfindungsgeist zu arbeiten. Ich konstruierte eine — wenn auch primitive — Falle. Als er das nächste Mal, bepackt mit einer enormen Ladung Desserts, den an meinem Tisch vorüberführenden Engpaß durchbrechen wollte, sprang ich auf, schob meinen Stuhl hinter ihn und schnitt ihm mit einem blitzschnellen Umgehungsmanöver von vorne den Weg ab. Wie ein Obelisk ragte ich vor ihm auf. Jetzt gab es kein Entrinnen für ihn:

»Garçon! Un entrecôte!«
Er versuchte einen strategischen Rückzug, fand aber die Ausfallstraße durch meine Barrikade unpassierbar gemacht.
»Monsieur«, sagte er und maß mich mit einem mörderischen Blick. »Das ist nicht mein Tisch.«
Ich verstand. Endlich verstand ich. Das also war der Grund, warum dieser Tisch so wunderbarerweise leerstand. Es war ein Niemandstisch im Grenzgebiet zwischen zwei Großmächten, ein verlassener Vorposten am Rand der Wüste, wo nachts die Schakale heulen und höchstens dann und wann ein Atomphysiker auftaucht. Instinktiv sah ich unter den Tisch, ob dort nicht vielleicht ein paar Skelette lägen. Die Eule Lipschitz fiel mir wieder ein. Ich war ein Tourist. Ich war ein Ausgestoßener. Was sollte aus mir werden? Mit elementarer Gewalt ergriff mich das dem Psychologen so wohlbekannte, urmenschliche Bedürfnis, zu irgend jemandem zu gehören.
»Dein bin ich, dein mit Leib und Seele«, wisperte ich ins Ohr des Aristokraten, der zufällig in meiner Nähe eine kleine Schnaufpause machte. »Ich gehöre dir, ich schare mich um dein Banner, ich —«
»Lassen Sie mich in Ruh oder ich hole die Polizei«, zischte der Aristokrat und brach in westlicher Richtung aus.
Ich begann zu weinen. Nichts ist schlimmer als Einsamkeit. ›Ephraim‹, sagte ich zu mir selbst, ›du mußt etwas tun. Du mußt bei einem Kellner deine de-facto Anerkennung durchsetzen, sonst hast du zu existieren aufgehört!‹
Mit letzter Kraft sprang ich auf und winkte dem Schnurrbart, der mit einer Lieferung angenehm duftenden Geflügels unterwegs war:
»Garçon! L'addition!«
Der Schnurrbart warf mir einen Blick zu, aus dem klar

hervorging, daß er auf diesen schäbigen Trick nicht hereinzufallen gedächte, und setzte seinen Weg fort.
›Wenn ich jetzt‹, dachte der Faschist in mir, während ich dem Schnurrbart haßerfüllt nachsah, ›wenn ich jetzt eine Plastikbombe in der Tasche hätte, dann wäre es um ihn geschehen!‹
In diesem Augenblick trat eine unvorhergesehene Wendung der Dinge ein, und zwar in Gestalt eines vierschrötigen, glatzköpfigen Mannes, der sich vor der Küchentür aufpflanzte und einen selbstbewußten Feldherrnblick über das Terrain schweifen ließ. Der Chef!
Ich stürzte auf ihn zu und schilderte ihm mit bitteren Worten, wie seine Kellner mich behandelten.
»Schon möglich«, meinte er gleichmütig. »Es sind eingeschriebene Mitglieder der kommunistischen Partei, einer wie der andre.«
»Und was soll ich jetzt machen?«
Der Chef zuckte die Achseln:
»Ich habe mit einem dritten Kellner Fühlung genommen. Angeblich kommt er Ende der Woche ... vielleicht, daß er ...«
»Aber was mache ich bis dahin?«
»Hm. Haben Sie unter den Gästen nicht vielleicht einen Bekannten, der für Sie bestellen könnte?«
Einen Bekannten? Ich? Hier, mitten im Urwald? Ich schüttelte den Kopf.
Der Chef tat ein gleiches und zog sich in die Küche zurück, während ich — mit jener weichlichen Unentschlossenheit, die ein typisches Merkmal der untergehenden Bourgeoisie ist — meinen hoffnungslosen Platz im Niemandsland wieder einnahm.
Der Hunger trieb mich zur Verzweiflung. Ich mußte über die Grenze gelangen, koste es, was es wolle. Unauffällig,

mit kleinen, sorgfältig berechneten Rucken, begann ich den Tisch im Sitzen aus dem Niemandsland hinauszuschieben. Zoll um Zoll, langsam, aber unaufhaltsam, kämpfte ich mich zum Territorium des Schnurrbarts durch, von jeder Deckung Gebrauch machend, die sich unterwegs bot. ›Bald‹, so ermunterte ich mich, ›bald bin ich unter Menschen ... die Rettung ist nahe ...‹

Nichts da. Die Grenzpolizei schnappte mich. Und an dem Schicksal, das einem ausländischen Infiltranten bevorstand, war nicht zu zweifeln:

»Schieben Sie den Tisch sofort zurück!« herrschte der Schnurrbart mich an.

Was jetzt über mich kam, läßt sich rationell nicht erklären. Es wurzelt tief in archaischen Trieben. Mit einem heiseren Aufschrei warf ich mich über den Kellner, riß vom obersten Teller eine halbe Ente an mich und schob sie in den Mund. Sie schmeckte betörend. Schon streckte ich die Hand nach den Petersiliekartoffeln aus — aber da hatte der Kellner sich aus seiner Starre gelöst und begann zurückzuweichen:

»Monsieur ...«, stammelte er. »Monsieur, was tun Sie da ...?«

»Ich esse«, antwortete ich bereitwillig. »Das wundert Sie, was?«

Aller Augen waren auf mich gerichtet. Das ganze Restaurant verfolgte atemlos den tatsächlich ein wenig ungewöhnlichen Vorgang. Leider kam der Aristokrat dem Schnurrbart zu Hilfe, und auch der Chef schämte sich nicht, mit den Kommunisten gemeinsame Sache zu machen. Ihren vereinten Anstrengungen gelang es, den Rest der Ente aus meinen Händen zu winden. Dann, unter den Hochrufen der Zuschauer, hoben sie mich auf und trugen mich zur Türe. Unterwegs entschloß ich mich, kein Trinkgeld zu geben.

»Hunger!« brüllte ich. »Hunger! Ich will essen!«
»Warten Sie, bis Sie bedient werden«, sagte der Schnurrbart. »Sie sind hier nicht im Ritz«, fügte der Aristokrat hinzu.
Von diesen beiden war nichts zu erwarten. Ich wandte mich an den Chef:
»Hören Sie«, beschwor ich ihn. »Engagieren Sie mich als Kellner!«
Es war zu spät. In weitem Bogen flog ich durch die Türe, kam nach einer glatten Bauchlandung auf die Füße und wandte mich um.
Der Chef stand da und sah mich mit einem beinahe teilnahmsvollen Gesichtsausdruck an:
»Monsieur — gehen Sie in irgendein Restaurant auf den Champs-Elysées. Das ist das richtige für Touristen . . .«

Ich folgte seinem Rat und ging, wohin ich gehörte. Ich verkroch mich hinter den schützenden Mauern eines Restaurants auf den Champs-Elysées und ertränkte mein Leid in einer hervorragenden Bouillabaisse. Drei klassische Kellner tanzten für mich ein klassisches Bedienungsballett. Auch lehrten sie mich, die langstieligen, mit Widerhaken versehenen Geräte zu gebrauchen, die dem Kundigen dazu dienen, auch noch das kleinste Stück Fleisch aus dem entlegensten Hinterbeinchen der Languste hervorzustochern. Willig folgten Finger und Zähne ihren Anweisungen; aber mit dem Herzen war ich nicht bei der Sache . . . Zum Dessert kredenzte man mir Crêpe de mocca parfait flambé à l'eau de Cologne, von dem ich genug übrigließ, um mich damit zu besprengen, als ich die Rechnung sah.
Meine Verzweiflung wuchs. Wer bin ich und was soll ich

noch auf Erden, fragte ich mich mit einer an Hamlet grenzenden Melancholie. Die Franzosen wollen mich nicht haben, oder nur als Touristen. Aber einen Touristen, der so wenig Geld hat wie ich, wollen sie erst recht nicht haben . . .
An dieser Stelle entartete mein Selbstgespräch zum Dialog, und eine andre innere Stimme flüsterte mir zu:
»Geh zu deinen Brüdern im Geiste! Geh zu deinesgleichen! Du bist ein Schriftsteller, ein Künstler! Dein Platz ist bei den Bohemiens!«
Ich nahm den nächsten Bus zum Montmartre, stieg aus und ließ mich selig mit dem farbenfrohen Strom des Künstlervölkchens treiben. Anders ausgedrückt: ich setzte mich in ein Café, bestellte einen Wermut und beobachtete das Durcheinander ringsum. Und was für ein Durcheinander! Am Nebentisch schluchzte gerade eine kleine Wasserstoffblondine an der Schulter eines jungen backenbärtigen Mannes mit Brillen. Etwas weiter entfernt gab eine betagte Sexbombe einer interessiert lauschenden Zuhörerschaft Erinnerungen an ihre zerstörte Jugend preis. Daneben hielt ein unrasierter, wild um sich blickender Rollkragenträger einen leeren Transistor an sein Ohr. Hier diskutierten sechs langhaarige Jünglinge über eine von ihnen gezüchtete Kreuzung zwischen Neo-Dadaismus und Kafka, dort bereiteten sich zwei reglose, stark geschminkte Frauengestalten in stummer Umarmung auf die nächsten Schicksalsschläge vor. Ein halbnacktes, atemraubend schönes Blumenmädchen setzte sich neben einen afrikanischen Matrosen, zog ein Buch hervor und begann zu lesen. In einer Ecke versuchte ein trübsinniger Student durch Verschlucken eines Löffels Selbstmord zu begehen, aber der Kellner, der für die Vollzähligkeit des Bestecks verantwortlich war, fiel ihm in den Arm. Zwei Schauspielerinnen fanden die Hitze so unerträglich, daß sie sich zu entkleiden begannen, worauf der

Kellner sofort einen Polizisten herbeirief, damit auch er das Vergnügen des Zuschauens genösse. Ein an Elefantiasis leidender Bildhauer entlockte einer Miniaturflöte elektronische Musik, eine berühmte Dichterin führte ihr Bulldogg-Weibchen von Tisch zu Tisch und sammelte Almosen für den angeblich gestern eingetroffenen Wurf, ein weißhaariger Ziehharmonikaspieler begleitete die Umarmungen eines Liebespaares mit sentimentalen Melodien, Zigaretten und Zündhölzer flogen durch die Luft, Sprachfetzen und Gelächter bahnten sich den Weg durch die Schwaden aus Rauch und Alkohol. Und inmitten dieser Orgie der Zusammengehörigkeit und Lebensfreude saß nur ein einziger Mensch einsam an seinem Tisch, und das war ich.

Noch nie im Leben hatte ich mich so einsam gefühlt, so vergessen, verlassen und verloren. Hätte ich nicht die Gewohnheit gehabt, bei heißem Wetter (wie es an diesem Tag herrschte) mein Sporthemd über die Hose heraushängen zu lassen — ich wäre wohl nie in Kontakt mit der Umwelt gekommen.

Es war, wie ich gleich vorausschicken will, kein erfreulicher Kontakt.

Ich hatte nämlich mit einemmal die deutliche Empfindung, daß das linke untere Ende meines heraushängenden Hemds sich von mir wegbewegte. Vorsichtig wandte ich mich um — und in der Tat: mein Nachbar am Tisch zur Linken hatte sich meines Hemdes bemächtigt und putzte damit seine Brillengläser, große, dicklinsige Gläser in schwarzer Hornfassung. Ich hatte den Herrn nie im Leben gesehn. Und jetzt saß er da und putzte sich mit meinem Hemd die Brillen.

Etwa eine Minute lang herrschte Schweigen, nur vom Rhythmus des Putzgeräusches unterbrochen. Dann raffte ich mich auf:

»Monsieur«, sagte ich, »was fällt Ihnen ein?«
»Das sehen Sie doch«, lautete die Antwort. »Glotzen Sie nicht so blöd.«
»Vielleicht könnten Sie Ihre Brille mit Ihrem eigenen Hemd putzen?«
»Mein eigenes Hemd steckt in meiner eigenen Hose. Das sehen Sie doch.«
Er hob die Gläser gegen das Licht, um festzustellen, ob sie schon ausreichend geputzt wären. Offenbar waren sie es nicht. Als ich merkte, daß er die Putzarbeit fortzusetzen beabsichtigte, wollte ich ihm mein Hemd entziehen; aber da kam ich schön an:
»Was ist denn los?« rief er. »Lassen Sie mich gefälligst meine Brillen putzen!«
»Nicht mit meinem Hemd!«
»Warum nicht?«
»Zum Beispiel, weil ich Sie nicht kenne.«
»Bosco.« Mit einem leichten Kopfnicken stellte mein Nachbar sich vor. »Und hören Sie schon auf zu glotzen.«
Diese Entwicklung der Dinge ging mir sehr gegen den Strich. Jetzt, da wir persönlich miteinander bekannt waren, war es für mich schon um vieles schwerer, ihm mein Hemd zu verweigern.
»Ja, aber ...«, stotterte ich. »Das ist ein ganz neues, sauberes Hemd ...«
Ich muß zugeben, daß ich da kein besonders schlagkräftiges Argument gebraucht hatte, aber ein besseres fiel mir nicht ein. Auch daß ich von einigen Nebentischen her mit feindseligen Blicken angestarrt wurde, machte meine Position nicht leichter. Bosco, der seinen taktischen Vorteil sofort erkannte, hielt das Ende meines Hemds aktionsbereit in der Hand:
»Wenn es kein sauberes Hemd wäre, würde ich es nicht für

meine Brillengläser verwenden. Es sind sehr teure und sehr empfindliche Gläser. Also.«
»Dann zerren Sie wenigstens nicht daran«, mahnte ich mit schwacher Stimme, während er schon wieder weiterputzte.
»Wer zerrt?« fragte Bosco ungehalten und entnahm der Tasche seines Sporthemds eine andre Brille mit dunkelgrünen Gläsern.
»Nein«, sagte ich energisch. »Keine Sonnenbrillen, bitte.«
»Sie langweilen mich«, replizierte Bosco. »Geben Sie endlich Ruhe.«
Jetzt wurde mir die Sache denn doch zu dumm. Schließlich war ich ein Tourist, ein Ausländer, ein Fremdenverkehrsheber, im Grunde genommen sogar ein Gast dieses Landes. Ich kannte Bosco kaum, und jedenfalls nicht gut genug, um ihn seinen gesamten Brillenvorrat mit meinem Hemd putzen zu lassen. Aber die öffentliche Meinung stand natürlich auf seiner Seite, daran ließ der Gesichtsausdruck der Umsitzenden keinen Zweifel. »Sie jämmerlicher Outsider«, sagten ihre Blicke. »Sie Eindringling. Sie Egoist. Sie überheblicher, asozialer Wichtigtuer. Sie scheinen ja Ihr Hemd für das Kostbarste auf Erden zu halten? Seien Sie froh, daß es endlich zu etwas Vernünftigem taugt. Sie haben überhaupt keinen Sinn für Zusammengehörigkeit, kein Empfinden für kollektive Verantwortung, kein Solidaritätsgefühl. Sie sind nicht wert, hier zu sitzen, Sie hergelaufener Niemand mit Ihren schäbigen Lumpen . . .«
Als es so weit war, raffte ich alle meine Kräfte zusammen: »Genug! Ich will nicht mehr!«
»Und warum nicht?«
»Darüber schulde ich Ihnen keine Rechenschaft! Oder bin ich verpflichtet, jedem mein Hemd zum Brillenputzen zu überlassen?«

»Jedem?! Wieso jedem?!« Von allen Seiten drangen entrüstete Rufe auf mich ein. »Wer außer Bosco hat denn schon seine Brillen geputzt? Wer ist denn auf Ihr idiotisches Hemd angewiesen? Warum sprechen Sie von ›jedem‹, wo doch nur Bosco ...«
Den Rest hörte ich nicht mehr. Ich hatte bereits die Türe erreicht. Dort aber blieb ich stehen, wandte mich um und stopfte mit herausfordernder Langsamkeit mein Hemd in die Hosen.

Sollte der geneigte Leser erwarten, daß ich mich jetzt endlich dem Kapitel »Die Pariserin« zuwenden würde, dann steht ihm eine herbe Enttäuschung bevor. Mein Kontakt mit der Pariser Weiblichkeit blieb auf eine einmalige, flüchtige Begegnung beschränkt; es war eine sympathische, schon etwas ältliche Dame, die mich auf dem Boulevard St-Michel fragte:
»Guten Abend, Monsieur, wohin gehen Sie?«
Ihr diskreter Tonfall und ihr solides Äußeres ermutigten mich zu der Auskunft:
»Ich habe eine Verabredung mit meinem Freund Nachum Gottlieb.«
Damit sprach ich, wie immer, die lautere Wahrheit. Ich überlegte sogar, ob ich ihm meine neue Zufallsbekanntschaft nicht mitbringen sollte. Aber sie zeigte kein Interesse daran und setzte ihren Abendspaziergang fort.
Mit Nachum war ich von Israel her befreundet. Ich kannte ihn als einen gutherzigen, durchschnittlichen, ordentlichen Menschen — so richtig das, was man einen netten Jungen nennt. Unsre staatliche Schiffahrtsgesellschaft hatte ihn als Rechtsberater in ihre Pariser Niederlassung geschickt,

und nun lebte er schon seit sechs Jahren in der Lichterstadt. Er hatte hier sogar geheiratet, eine hübsche, großäugige, junge Französin, vielleicht um eine Kleinigkeit zu mager, insgesamt jedoch eine echte Repräsentantin jenes unvergleichlichen, filigranen Frauentyps, den man eben nur in Paris findet, charmant, elegant und mit Bleistiftabsätzen an den zarten Schuhen, die nur ganz knapp die zarten Sohlen ihrer zarten Füßchen bedeckten. Sie hieß Claire.
Nachum erwartete mich bereits vor seinem Büro. Wir wanderten zunächst ein wenig den Boulevard entlang, und als es kühler wurde, zogen wir uns in ein Café zurück.
Ich fragte Nachum, wie es seiner Frau ginge.
Zu meiner Überraschung antwortete er nicht, sondern senkte den Kopf und zog seine Rockaufschläge über der Brust zusammen, als ob ihn fröstelte. Ich wiederholte meine Frage.
Langsam, mit einem waidwunden Blick, hob Nachum den Kopf und sagte kaum hörbar:
»Sie spricht nicht mit mir ...«
Es dauerte lange, ehe seine schwere Zunge sich zu lösen begann. Ich lasse seine Geschichte, die vom ewigen Thema der grundlosen Eifersucht handelt, in einer verkürzten Fassung folgen. Sie könnte den gleichen Titel tragen wie Jean Cocteaus berühmter Film »La Belle et la Bête«.

»Du bist der erste Mensch, mit dem ich über mein tragisches Familienleben spreche«, begann Nachum. »Und selbst dazu kann ich mich nur überwinden, weil du bald wieder wegfährst. Ich bin vollkommen ratlos. Ich bin am Ende. Ich kann ohne Claire nicht leben. Sie ist für mich die Luft, die ich zum Atmen brauche ... Ich weiß, was du jetzt sagen willst. Sag's nicht, obwohl du recht hast. Natürlich hätte ich besser auf sie achtgeben müssen. Ich hab's ja auch versucht. Aber gerade das war das Unglück. Ich habe etwas getan, was ich nie hätte tun dürfen. Und daß ich es nur aus Liebe zu ihr getan habe, hilft mir nicht. Sie wird mir nie verzeihen ...«

Ich konnte aus seinem Gestammel nicht recht klug werden und klopfte ihm aufmunternd auf die Schulter:

»Na, na, na. Erzähl hübsch der Reihe nach. Die ganze Geschichte. Ich verspreche dir, daß ich sie in meinem Reisebuch nicht veröffentlichen werde.«

»Es fällt mir so fürchterlich schwer«, seufzte Nachum. »Weil das Ganze so fürchterlich dumm ist. Es begann mit einem anonymen Brief, den ich vor ein paar Monaten zugeschickt bekam. Ein ›aufrichtiger Freund‹ teilte mir mit, daß meine Frau mich mit dem Friseur von vis-à-vis betrog. Und du weißt ja, wie so etwas weitergeht. Zuerst glaubt man kein Wort — will sich mit einer so schmierigen Denunziation gar nicht abgeben — dann merkt man, daß doch etwas hängengeblieben ist — und dann beginnt das Gift zu wirken ...«

»So ist die menschliche Natur«, bestätigte ich. »Man glaubt einem dummen Tratsch viel eher als den eigenen Augen.«

»Richtig. Ganz richtig. Genauso war es. Aber ich begnügte mich nicht damit, meiner Frau insgeheim zu mißtrauen. Ich beschloß, sie auf die Probe zu stellen. Ich Idiot.«

»Wie hast du das gemacht?«

»Ich erzählte ihr, daß ich für drei Tage geschäftlich nach Marseille verreisen müßte, verabschiedete mich herzlich wie immer und verließ mit dem Koffer in der Hand die Wohnung. Diesen kindischen Trick hielt ich für besonders raffiniert. Dann stellte ich den Koffer in einem nahe gelegenen Bistro ab, verbrachte die Zeit bis Mitternacht im Kino — ging nach Hause — schloß leise die Wohnungstüre auf — ich weiß bis heute nicht, was da in mich gefahren war —

schlich auf Zehenspitzen ins Schlafzimmer — knipste das Licht an — und — und —«

»Und deine Frau lag friedlich im Bett und schlief.«

»So wie du sagst. Sie lag friedlich im Bett und schlief. Auch sonst war alles auf dem üblichen Platz. Nur auf dem Nachttisch sah ich ein halb leergetrunkenes Glas Orangensaft mit zwei Strohhalmen stehen. Das war der einzige Unterschied. Sie müssen zusammen aus einem Glas getrunken haben.«

»Wer — sie?«

»Meine Frau und der Friseur. Nämlich — damit du die Situation richtig beurteilst — auch der Friseur lag friedlich im Bett und schlief. Er hatte sogar eines meiner Pyjamas an.«

»Ich — hm — wie bitte? Ich verstehe nicht.«

»Na ja. Auch ich stand zuerst ein wenig verständnislos da. Dann erwachten die beiden, ungefähr gleichzeitig, und blinzelten ins Licht. Claire setzte sich halb auf, maß mich von Kopf bis Fuß mit einem verächtlichen Blick, und in ihrer Stimme lag ein kaum verhohlener Abscheu: ›Aha!‹ rief sie. ›Du spionierst mir nach! Du erzählst mir Märchen aus Tausendundeiner Nacht, von Schiffen, von Marseille, was weiß ich, du spielst mir ein Theater vor mit Abschiednehmen und Koffern, du gebärdest dich wie ein Mustergatte — und heckst dabei einen teuflischen Plan nach dem andern gegen mich aus! Ein feines Benehmen, wirklich! Aber ganz wie du willst, Nachum. Wenn das nach deinem Geschmack ist — bitte sehr.‹ Das waren Claires Worte. Jedes von ihnen traf mich wie ein Keulenschlag. Noch dazu in Gegenwart eines Fremden.«

»Was ... was hat denn der Friseur währenddessen gemacht?«

»Eigentlich nichts. Er verhielt sich ruhig. Erst als meine

Frau ihn fragte: ›Nun sage mir, Michel, ob es sich lohnt, einem solchen Menschen treu zu sein?‹ — erst da stützte er sich auf seinen Ellenbogen, schüttelte den Kopf und antwortete: ›Wenn ich ehrlich sein soll, dann muß ich sagen, nein, es lohnt sich nicht!‹ Du siehst: auch er fühlt sich von mir abgestoßen. Auch er unterlag dem Augenschein, der ja wirklich gegen mich sprach. Ich wollte Claire beruhigen, aber sie war außer sich vor Zorn: ›Es ist einfach skandalös, Nachum!‹ rief sie mit bebenden Lippen. ›Irgend jemand trägt dir einen idiotischen Tratsch über mich zu, und du glaubst sofort alles! Schnüffelst mir nach wie der Hund von Baskerville um Mitternacht! Du solltest dich schämen!‹ Damit drehte sie sich zur Wand, ohne meine Antwort abzuwarten.«

»Und der Friseur unternahm noch immer nichts?«

»Doch. Er stieg aus dem Bett und sagte: ›Pardon, Madame, aber solche Auseinandersetzungen sind nichts für mich. Ich gehe.‹ Er holte meine Hausschuhe unter dem Bett hervor, schlurfte ins Badezimmer und begann sich zu duschen, man hörte es ganz deutlich. Ich war mit meiner Frau allein, versuchte ihr zu erklären, daß meine unsaubere Phantasie mir einen Streich gespielt hätte — vergebens. Sie warf mir einen Blick zu, daß ich vor Scham am liebsten in die Erde versunken wäre. Kannst du dir meine Situation vorstellen? Eigentlich war ich doch darauf aus gewesen, alles in bester Ordnung zu finden, wenn ich nach Hause käme! Ich hatte niemals ernsthaft geglaubt, daß es anders sein könnte! Und dann ... Nur dieser elende anonyme Brief ist daran schuld. Er hatte mich um meinen gesunden Menschenverstand gebracht. Und Claire warf mir das ganz mit Recht vor. ›Deine Dummheit und deine Bösartigkeit entbinden mich aller Verpflichtungen‹, sagte sie mit eiskalter Stimme. ›Man kann von keiner Frau verlangen, einem Bluthund treu zu sein.‹ Und sie brach in Tränen aus. Sie schluchzte herzzerreißend. Ich war für sie nicht mehr vorhanden. Und ich kann doch nicht leben ohne sie. Sie ist für mich die Luft, die ich zum Atmen brauche . . .«

»Und der Friseur?«

»Er war mittlerweile aus dem Badezimmer herausgekommen, fix und fertig angekleidet, und verabschiedete sich von Claire mit einem Handkuß. Mich würdigte er keines Blicks. So ist das Leben. Wer auf dem Boden liegt, bekommt auch noch Tritte . . .«

Nachum seufzte verzweifelt auf, barg sein Gesicht in den Händen und schloß:

»Claire will mit mir nichts mehr zu tun haben. Sie spricht nicht mit mir. Dieser kleine Fauxpas, den ich mir zuschulden kommen ließ, ist für sie Grund genug, um sich von mir abzuwenden. Da kann ich ihr hundertmal schwören, daß nur meine Liebe zu ihr mich auf den Irrsinnspfad der Eifersucht getrieben hat — sie hört mir nicht einmal zu. Was soll ich machen, was soll ich machen . . .«

Eine Weile verging schweigend. Endlich, nur um meinen vollkommen zusammengebrochenen Freund zu trösten, sagte ich:

»Es ist noch nicht aller Tage Abend. Kommt Zeit, kommt Rat. Morgenstunde hat Gold im Munde. Eines Tags wird Claire dir verzeihen.«

Über Nachums gramzerfurchtes Gesicht ging ein leiser Hoffnungsschimmer:

»Glaubst du wirklich?«

»Ich bin ganz sicher. Und wenn du nächstens einen anonymen Brief bekommst, zerreiß ihn und wirf ihn weg.«

Die meisten ausländischen Besucher machen sich von der glitzernden Seine-Metropole ein ganz falsches Bild. Für sie ist »Paris« gleichbedeutend mit Liebe und Laster, mit einem Spinnennetz von engen Seitengassen, wo in schwülen, halbdunklen Nachtlokalen der Champagner in Strömen fließt und hüllenlose Tänzerinnen zur Begleitung erregender Musik die ganze Nacht lang Erotik produzieren.
Nun, es gibt noch ein andres Paris!
Dieses andre Paris ist vielleicht weniger schwül und weniger eng, aber wer sich die Mühe macht, es aufzuspüren, wird dennoch reich belohnt. In diesem andern Paris — dem wirklichen, dem ewigen — bieten keine flüsternden Straßenverkäufer »künstlerische Aktaufnahmen« feil, gibt es keine Schlepper, die den naiven Fremdling in halbdunkle Nachtlokale locken, keine Wolken aus Rauch und Champagnerdunst, kein billiges Strip-tease. Nein! Hier in diesem andern Paris gibt es große, prächtige Kunststätten mit luxuriös eingerichteten Zuschauerräumen, wo der Ausländer bequem in geschmackvollen Fauteuils sitzt, während hüllenlose Tänzerinnen zur Begleitung erregender Jazzmusik die ganze Nacht lang Erotik produzieren.
Es ist dieses andre Paris, von dem ich jetzt berichten will.

Das Wunder geschah: wir bekamen zwei Billetts zu der seit Jahren ausverkauften Mammut-Musical-Show, die auf der ganzen Welt in aller Munde war. Ein lateinamerikanischer Tourist mußte im letzten Augenblick seine vor Jahresfrist gelösten Karten zurückgeben und nach Hause fahren, weil er übersehen hatte, daß das Datum der Vorstellung mit dem allmonatlichen Staatsstreich in seinem Heimatland zusammenfiel. So kam es, daß meine Gattin und ich in der ersten Reihe saßen, buchstäblich zu Füßen der ausgewählt schönen Girls, mit dem denkbar besten Blick auf die Finessen der Choreographie und die reiche Ausstattung der Bühne (Kostüme gab es nicht). Die Girls waren damit beschäftigt, lebende Bilder historischen Charakters zu stellen, aus der Geschichte der Menschheit im allgemeinen und aus der Geschichte unsres eigenen Volkes; zum Beispiel Judith und Holofernes, Josef und seine Brüder, Potiphars Weib und Salomes Schleiertanz. Das schmeichelte uns und hob unser Selbstgefühl. Nicht einmal die hinter uns erklingenden Rufe »Niedersetzen!« konnten uns etwas anhaben. Wir hatten gar nicht gewußt, daß die Geschichte Israels so voll von Glamour war.

Und dann stieg Großmutti herab ...

Sie kam in einem eigens konstruierten goldenen Käfig vom Schnürboden der berühmten Music-Hall auf die Bühne geschwebt, und das ganze Ensemble streckte ihr die Hände entgegen, malerisch gruppiert, teils kniend, teils auf Zehenspitzen, zu einer majestätisch anschwellenden Musik mit der ständig wiederkehrenden Textzeile: »Da kommt sie, da ist sie, die Schönste der Welt!« Bekleidet war sie mit schwarzen Netzstrümpfen, einem eng anliegenden Pantherfell, einer blonden Haarkrone, exquisit verlängerten Wimpern, strahlenden Zähnen und einem gewaltigen Dekolleté, das die ganzen Reize ihrer 70 Jahre freigab. (Die beste Ehefrau von allen tippte sogar auf 71, wenn auch nur flüsternd.)

Damit hier kein Irrtum entsteht: der Begriff »Großmutter« ist mir heilig. Die Großmutter hat meiner Meinung nach eine überaus wichtige Aufgabe im Schoß der Familie zu erfüllen, sei es als Babysitter oder als Verwalterin altehrwürdiger Kochrezepte, die andernfalls verlorengingen. Großmütter, kurzum, dürfen stets auf meine Liebe und Verehrung zählen. Vielleicht ist das der Grund, warum ich so empfindlich reagiere, wenn eine Großmutter plötzlich auf eine Bühne geschwebt kommt und sich im grellen Scheinwerferlicht der gaffenden Menge darbietet. Noch dazu war diese spezielle Großmutter nicht irgendeine Nummer im Programm, sondern der Star der Show, die göttliche Primadonna, die unvergleichliche Allround-Künstlerin, das Nationalheiligtum. Tatsächlich konnte ihre Stimme noch halbwegs mithalten. Aber Großmutti wollte unbedingt auch ihre tänzerischen Fähigkeiten zur Geltung bringen, ließ niemanden mehr an die Rampe, hopste wild umher, stand Kopf, schlug Räder, erzählte zweideutige Witze und benahm sich überhaupt so, wie Großmütter sich nicht benehmen sollen. Entweder war sie die Gattin des Direktors, oder sie hatte ausgezeichnete Beziehungen zur Artistengewerkschaft.

Indessen kam ich bald dahinter, daß sie ihren prominenten Rang einem ganz andern Umstand verdankte: nämlich ihrer Meisterschaft in der Herstellung von »Kontakt mit dem Publikum«. Das war es, was ihr keiner nachmachte. Das war ihre Domäne. Die Art, wie sie das Mikrophon in die Hand nimmt ... wie sie in den Zuschauerraum steigt ... durch die Seitengänge streift ... bei einem ausländischen Besucher anhält und mit ihm ein paar Worte in seiner Muttersprache wechselt ... wie sie im Vorübergehen ein Scherzwort fallenläßt oder ein schlüpfriges Offert ... wie sie einen friedlich dasitzenden Herrn auf die Glatze küßt ... es ist einmalig.

An jenem schicksalsschweren Abend hatte sie für irgendwelche Bühnenzwecke drei männliche Besucher eingesammelt, einen baumlangen Amerikaner, einen eher kurzgewachsenen Spanier und einen beleibten Italiener. Nachdem sie den Widerstand der drei überwunden und sie auf die Bühne gezerrt hatte, wo sie von den kichernden Girls empfangen wurden, stemmte Großmutti die Hände in die pan-

therfellbekleideten Hüften, ließ ihre Blicke durch das Haus schweifen und verkündete:
»Ich brauch noch einen!«
Ohne zu prahlen, darf ich sagen, daß ich mich schon wiederholt in lebensgefährlichen Situationen befunden habe. Ich bin aus mehreren Gefangenenlagern entflohen, habe im israelischen Befreiungskrieg mitgekämpft und einmal sogar an einem Friedenskongreß der »Liga der Völkerverständigung« teilgenommen. Aber noch nie im Leben fühlte ich mich von so panischer Angst durchschüttert wie in dem Augenblick, da Großmutti auf meinen Sitz in der ersten Reihe zusteuerte. Es war entsetzlich. Ich wurde abwechselnd rot und blaß, schrumpfte zusammen und suchte verzweifelt nach Deckung. Vor meinem geistigen Auge zogen blitzartig die schmerzlichsten Erinnerungen an meine unglückliche Kindheit vorbei.
»Schön ...«, zischte dicht neben mir die Schlange, mit der ich verheiratet bin. »Sie kommt dich holen!«
Im nächsten Augenblick stand Großmutti vor mir. Ich schickte ein Stoßgebet zum Himmel, aber da beugte sie sich schon über mich, und aus dem roten Querschlitz in ihrer erschreckend starren Maske drang die Frage:
»Woher kommst du, kleiner Liebling?«
Ich verkroch mich unter den Sitz und blieb stumm. Schließlich bin ich nicht verpflichtet, eine französische Frage zu verstehen.
»Er kommt aus Israel«, antwortete an meiner Stelle die Schlange neben mir laut und deutlich, während die Blicke der tausendäugigen Bestie Publikum von allen Seiten auf mich eindrangen.
Großmutti schwenkte die Hüften:
»Israel«, wiederholte sie genießerisch. »Oh-la-la. Schalom.«
Und sie schlang ihre Fangarme um mich.

In diesem Augenblick begriff ich die Ursachen der religiösen Renaissance, die wir heute erleben. Der Mensch ist einsam. Inmitten einer feindlichen Umwelt ist er einsam und ganz auf sich gestellt. Er braucht ein höheres Wesen, an das er glauben kann, bei dem er Schutz findet vor den Fährnissen des Daseins. Ich selbst war ihnen schutzlos ausgeliefert.
Großmutti deutete mit ihrer von blauen Adern durchzogenen Greisinnenhand auf die Schlange und fragte:
»Das ist Madame?«
Ich schwieg beharrlich, aber die Schlange nickte freundliche Bejahung. Daraufhin wollte Großmutti wissen, ob Madame eifersüchtig sei.
»Laß den Blödsinn und geh nach Hause«, raunte ich hebräisch in Großmuttis Ohr. »Deine verlassenen Enkelkinder warten. Sie schreien nach Brot. Kümmer dich nicht um mich und geh ...«
Krampfhaft versuchte ich, ihrem Klammergriff zu entrinnen. Aber das war nur Wasser auf ihre klapprige Mühle. Unter dem stürmischen Beifall des Hauses drückte sie mich in den Sitz zurück und ließ sich mit unnachahmlichem französischen Chic auf meinen Schoß fallen. Eine detaillierte Schilderung des Vorgangs möchte ich mir ersparen. Genug daran, daß Großmutti meinen heftig widerstrebenden Kopf gegen ihr Dekolleté preßte und mit rauher Stimme fragte: »Siehst du gut, mein Kleiner?«
»Ich sehe Abscheuliches«, preßte ich mühsam hervor und mußte gegen den Hustenreiz ankämpfen, den die aufsteigenden Puderwolken mir verursachten. »Gehen Sie von meinen Knien herunter oder ich rufe um Hilfe ...«
»Ah, Chéri!« Großmutti erhob sich mit krachenden Knochen, küßte meine Nase und wollte mich auf die Bühne zerren. Dabei erwies sie sich als erstaunlich muskulös. Ich

merkte das daran, daß der Griff, mit dem ich mich an der Armlehne meines Sitzes anklammerte, immer lockerer wurde.
»Mon choux«, kicherte sie und forderte das Orchester durch ein Nicken auf, einen munteren Can-Can zu spielen, indessen hinter meinem Rücken die beste Ehefrau von allen mir scheinheilig zusprach:
»Sei kein Spaßverderber, Ephraim! Sie meint es doch wirklich nett! Alle gehen auf das kleine Spielchen ein, nur du nicht!«
Unterdessen hatte Großmutti mit kundiger Hand meine Finger von der Sessellehne gelöst; einen nach dem andern. Das Publikum jauchzte. Aber ich gab mich noch nicht geschlagen. Ich hatte unter meinem Sitz eine eiserne Leiste entdeckt, an der ich meine Füße einhaken konnte.
»Verschwind, alte Hexe«, keuchte ich. »Ich mag dich nicht.«
»Mon amour«, säuselte Großmutti, hob mich mit raschem Untergriff halbhoch und bugsierte mich auf die Bühne.
Was weiter geschah, habe ich nur nebelhaft in Erinnerung. Laut Bericht meiner Gattin stand ich vollkommen groggy, mit offenem Mund und baumelnden Armen, neben Großmuttis anderen Opfern, ließ mir von einem Girl eine Papiermütze mit wippenden roten Federn auf den Kopf setzen und tanzte, während Großmutti den Takt klatschte, einige Takte Cha-cha-cha.
Als ich auf meinen Platz zurückkehrte, empfing mich die beste Ehefrau von allen sehr unfreundlich:
»Ich schäme mich für dich«, sagte sie. »Warum läßt du einen Narren aus dir machen?«
Nach einigen Tagen konnte ich mein Krankenlager verlassen und ein wenig spazierengehen. Durch Zufall traf ich einen mir befreundeten Volkstanzexperten aus Israel. Im Gespräch erwähnte ich auch Großmutti.

»Ja, die kenne ich«, grinste er. »Die kommt schon seit Jahrzehnten mit demselben Trick aus. Holt aus dem Publikum ein paar ›Touristen‹ auf die Bühne und läßt sie tanzen. Das Publikum hat natürlich keine Ahnung, daß es bezahlte Komparsen sind.«

»Wer?« fragte ich. »Wer ist was?«

»Die angeblichen Touristen. Die werden ja eigens dafür engagiert. Daß sich ein wirklicher Besucher zu diesem Blödsinn hergibt, kommt nur ganz selten vor. Aber warum fragst du? Sag mir nicht, daß sie *dich* herumgekriegt hat!«

»Mich?!« Mit einem souveränen Auflachen wies ich diese Zumutung glatt von mir. »Bist du verrückt geworden?«

Schöner Regen heute, nicht wahr?

Ein Bericht vom Eiland der guten Manieren und der Selbstbeherrschung. — Die Regeln des »Danke«-Spiels. — Ich belächle die traditionsgebundenen Engländer und werde dabei gelb vor Neid. — Wunderbare Rettung von einer Untergrund-Büffelherde. — Auch in England machen sich Verbrechen nicht bezahlt, aber es ist doch etwas dran. — Veranstaltung des tollsten Raubüberfalls in der Geschichte der englischen Kinematographie. — Englischer Humor und was man dagegen tun kann. — Die Aufspaltung des Stadtteils St. John in dreißig Straßen und deren belebender Einfluß auf das Taxigewerbe. — Ein Abenteuer unter Mitwirkung von Hunden und verrückten Engländern. — Die Fenster von Amsterdam (für Jugendliche unter 16 Jahren verboten).

Geographisch ist England ein Teil von Europa. In Wirklichkeit ist es ein Teil von sich selbst und von gar nichts sonst. Wir merkten das schon im Augenblick unsrer Landung.

Vielleicht entsinnt sich der geneigte Leser noch der Presseberichte über den Gewittersturm, der vor einiger Zeit den Ärmelkanal heimgesucht hat und Ausmaße annahm, an die sich auch die ältesten Seebären nicht erinnern konnten. Das Schicksal fügte es, daß meine Gattin und ich gerade an diesem Rekordtag den Kanal überquerten. Unser Schiff wurde von den wild schäumenden Wogen hin und hergeschleudert wie die berühmte Nußschale, die in solchen Fällen immer zu Vergleichszwecken herangezogen wird, obwohl es auf wild schäumenden Wogen noch nie eine Nußschale gegeben hat, ausgenommen unser Schiff. Da die epische Schilderung von Naturkatastrophen in der heutigen Literatur als minderwertig gilt, beschränke ich mich auf die Mitteilung des heiligen Eides, den ich eine halbe Stunde nach Ausbruch des Sturms geschworen habe: ich würde, so schwor ich, mich für den Rest meines Lebens in einen Kibbuz zurückziehen und mich dem vollständigen Wiederaufbau der Klagemauer in Jerusalem widmen, wenn ich mein nacktes Leben retten könnte.

Da dieser Schwur nichts fruchtete, ersetzte ich ihn nach einer weiteren halben Stunde durch den folgenden:

»O Herr, ich verzichte auf mein nacktes Leben, nur laß mich bitte nicht sterben ...«

Diese Formulierung hatte Erfolg. Wenige Stunden später sichteten wir die weißen Klippen von Dover, die schon so

viele Dichter vor mir begeistert hatten, vermutlich nach ähnlichen Kanalüberquerungen. Wir taumelten auf den Pier, warfen uns nieder, küßten die allgütige Mutter Erde und machten gleich darauf unsere erste Bekanntschaft mit dem englischen Nationalcharakter. Hinter uns kroch ein britischer Gentleman auf allen vieren über den Laufsteg. Er hatte sich während der Überfahrt in einem so erbärmlichen Zustand befunden, daß wir um sein Leben gebangt hätten, wenn uns überhaupt Zeit geblieben wäre, um etwas andres zu bangen als um unser eigenes Leben.
Seine britische Gattin erwartete ihn.
»Hallo, darling«, sagte sie zur Begrüßung. »Nette Überfahrt gehabt?«
»Reizende Überfahrt«, antwortete er. »Obwohl der Wetterbericht gar nicht so gut war.«
Ich muß bemerken, daß es um diese Zeit noch hagelte. Dicke, erbsengroße Körner.

In der Regel gibt es vier Jahreszeiten im Jahr: Frühling, Sommer, Herbst und Winter. Das gilt auch für England. Allerdings haben sie dort alle vier Jahreszeiten am selben Tag. Morgens Sommer, mittags Winter, abends Herbst und Frühling. Manchmal auch umgekehrt. Es gibt keine festen Regeln. Man schaut zum Fenster hinaus: der Himmel ist strahlend blau, die Sonne scheint. Freudig verläßt man das Haus, tritt auf die Straße hinaus — und springt zurück, weil wenige Schritte entfernt soeben ein Blitz eingeschlagen hat. Wassersturzfluten, wohin man blickt. Man eilt die Stiegen hinauf, rafft Regenmantel und Schirm an sich, tritt abermals auf die Straße — und wird von freundlichem Vogelgezwitscher empfangen. Am wolkenlosen Himmel lacht die Sonne. Mit Recht.
Nach zwei Tagen hatten wir noch immer nicht das Ge-

heimnis gelöst, warum die Engländer nicht auswandern. Auch die Eingeborensten unter ihnen geben zu, daß sie das Wetter verrückt macht. Sie nehmen sich sogar die Mühe, das zu beweisen.
Es ist eine alte Erfahrung, daß Regenschirm-Völker am liebsten über das Wetter sprechen. Trotzdem erstaunte es mich ein wenig, als ich einmal an einer Bus-Haltestelle von einem Regenschirmträger mit den Worten angesprochen wurde:
»Schönes Wetter heute, nicht wahr?«
Ich glotzte ihn an.
»Das nennen Sie schön? Dieses grauenhafte, schwüle, feuchte Wetter nennen Sie schön?«
Der Fremde erbleichte, preßte die Lippen zusammen und wandte sich ab. Erst viel später wurde mir klar, daß ich ihn maßlos gekränkt hatte. In England muß man zu fremden Menschen höflich sein, das ist ein unübertretbares Gebot. Wenn jemand sagt: »Schönes Wetter heute, nicht wahr?«, dann hat man zu antworten: »Ja, sehr schön, nicht wahr?«, auch wenn man im nächsten Augenblick von dem gerade losbrechenden Wirbelsturm gegen die Häuserwand geschleudert wird. Sobald man wieder auf den Beinen steht, sagt der Fremde »Wirklich sehr schön, nicht wahr?«, worauf man antwortet: »Ja, wirklich, nicht wahr?« Das kann stundenlang dauern, denn die strengen Spielregeln verlangen, daß man jeden Satz mit »nicht wahr?« abschließt, also mit einer Frage; und unter wohlerzogenen Leuten ist es üblich, eine Frage nicht unbeantwortet zu lassen.
In Frankreich ist das Leben aufregend, in Israel ist es anstrengend, in England ist es angenehm. Jeder Mensch in England erzählt jedem andern Menschen, wie angenehm das Leben in England ist. Denn die Engländer sind disziplinierte und manierliche Leute. Gewiß, die Konformisten

unter ihnen — und soviel ich feststellen konnte, gibt es nur konformistische Engländer — empfinden keine besondere Zuneigung zu irgend jemand oder irgend etwas, mit Ausnahme ihres Kamins, in dessen freundlicher Wärme sie gar manchen heißen Sommertag verbringen, und ihres Hundes, mit dem sie stundenlang die aktuellen Tagesprobleme diskutieren. Aber das alles ändert nichts daran, daß sie das Volk der besten Manieren sind. Es gibt keinen Anlaß, aus dem der Engländer nicht »Danke« sagen würde. Manchmal sagt er es auch ohne jeden Anlaß, zum Beispiel, wenn man sich erkundigt, wie spät es ist:
»Ich weiß nicht. Danke.«

Um dem geneigten Leser einen konkreten Fall von britischer Wohlerzogenheit vorzuführen, schildere ich nachstehend meinen Besuch — oder besser gesagt: meinen Abschied nach erfolgtem Besuch — im Ministerium für den Aufbau und Ausbau kultureller Beziehungen oder sonstwas. Der Leiter des einschlägigen Büros, ein Mr. McFarland, hatte mich freundlich empfangen und bewirtet (mit Tee, wenn ich nicht irre) und geleitete mich am Ende zur Tür des hochgewölbten, mit dunklem Eichenholz getäfelten Raums, dessen Entstehung nachweisbar auf das Jahr 1693 zurückgeht.
Als wir die Türe erreicht hatten, hielten wir beide auf gleicher Höhe an.
»Bitte sehr«, sagte Mr. MacFarland. »Nach Ihnen, Sir.« Und er vollführte die dazugehörige Handbewegung.
Um diese Zeit hatte ich bereits zwei Tage auf britischem Boden verbracht und war mit den Lebensformen zivilisierter Völkerschaften halbwegs vertraut geworden.

»Oh, bitte, Mr. MacFarland.« Ich blieb stehen. »Nach Ihnen.«
»Sie sind mein Gast, Sir. Ich bin hier zu Hause.«
»Alter zählt mehr als Schönheit«, scherzte ich. »Nach Ihnen.«
Der abwechslungsreiche Dialog dauerte einige Minuten. Ich war in großer Eile, aber ich wollte Mr. MacFarlands Gefühle nicht verletzen. Er war erstens ein Engländer und zweitens wirklich bedeutend älter als ich.
»Ich bitte Sie, Mr. MacFarland«, sagte ich und gab ihm einen sanften Stoß, um ihn zum Vortritt zu animieren.
»Um keinen Preis«, antwortete MacFarland, ergriff meinen Arm und drehte ihn mit geübtem Judo-Griff in Richtung Türe. »Bringen Sie mich bitte nicht in Verlegenheit.«
»Sie sind der Ältere«, beharrte ich, setzte mit meiner freien Hand eine einfache Nackenschraube an und zerrte ihn zur Türe. »Nach Ihnen, Mr. MacFarland.«
»Nein ... nein ... hier ist ... mein Büro.« Mr. MacFarland keuchte ein wenig, weil mein Klammergriff ihm gewisse Atembeschwerden zu verursachen begann. Schon sah ich mich als Sieger. Plötzlich stellte er mir ein Bein, so daß ich ins Taumeln geriet. Aber ein rascher Griff nach einem an der nahen Wand hängenden Gobelin brachte mich wieder ins Gleichgewicht und bewahrte mich vor einem entscheidenden Positionsverlust:
»Ich bestehe darauf, Mr. MacFarland. Nach Ihnen.«
Mein linker Ärmel war während dieses Austausches von Höflichkeiten in Fetzen gegangen, und MacFarlands Hosen waren an mehreren Stellen geplatzt. Eine Weile standen wir einander schwer atmend gegenüber und rührten uns nicht. Dann setzte MacFarland unvermittelt zu einem Hechtsprung gegen meine Magengrube an. Ich sprang rasch zur Seite, und er landete krachend im Aktenschrank.

»Nach Ihnen, Sir!« Mit Schaum vor dem Mund erhob er sich, packte einen Bürosessel und schwang ihn durch die Luft.
»Nach *Ihnen*, Mr. MacFarland!« Ich bückte mich, ohne ihn aus den Augen zu lassen, und griff nach dem Schürhaken. Der Bürosessel segelte über meinen Kopf hinweg. Ein riesiges Porträt Winston Churchills, das in Glas und Rahmen an der Wand hing, zersplitterte. Auch ich zeigte mich nicht sehr zielsicher: die Flugbahn meines Schürhakens hatte zur Folge, daß das Licht ausging.
»Nach Ihnen, Sir«, hörte ich Mr. MacFarland durch die Dunkelheit krächzen. »Ich bin hier zu Hause.«
»Aber Sie sind der Ältere«, antwortete ich und schleuderte einen Tisch in die Richtung, aus der seine Stimme gekommen war. Diesmal traf ich ihn. Mit einem gurgelnden Aufschrei sank MacFarland zu Boden. Ich bahnte mir durch die herumliegenden Trümmer den Weg zu ihm, hob seinen leblosen Körper auf und rollte ihn in den Korridor.
Natürlich rollte ich ihn *vor* mir über die Türschwelle. Ich weiß, was sich gehört.

Auf immer neue Art wird der Ausländer von der Selbstdisziplin und den guten Manieren der Inselbewohner beeindruckt. Ich werde nie den Tag vergessen, an dem ein beleibter Mann auf einer Londoner Bahnstation einen bereits zum Bersten überfüllten Zug zu besteigen versuchte. Er schob und stieß mit Schultern und Ellbogen, um für sich und seine drei Koffer Platz zu schaffen. In jedem andern Land wären ihm schon nach kurzer Zeit sämtliche Zähne eingeschlagen worden. Die wohlerzogenen Engländer begnügten sich damit, seine Anstrengungen stumm zu beob-

achten. Sie fanden es unter ihrer Würde, in irgendeiner Form einzugreifen.
Endlich ließ ein älterer Herr sich vernehmen:
»Warum drängen Sie, Sir? Auch andere Leute sitzen gerne.«
»Das kümmert mich nicht«, fauchte der Angeredete und gebärdete sich weiterhin wie ein wildgewordener Stier. »Nur weil die anderen sitzen wollen, werde ich nicht bis Southampton stehen.«
Niemand würdigte ihn einer Entgegnung. Man ignorierte ihn ganz einfach. Und als er sich tatsächlich auf einen Sitz gezwängt hatte, ließ man ihn ruhig sitzen. Keiner der Fahrgäste verlor ein Wort an ihn. Um so weniger, als der Zug nach Birmingham fuhr, also genau in die entgegengesetzte Richtung von Southampton.

Sie sind wirklich ein sonderbares Volk, diese Engländer. Man merkt das auf allen öffentlichen Verkehrsmitteln. Auf den Autobussen zum Beispiel hat man das Gefühl, von lauter Helden umgeben zu sein, die in eine tödliche Schlacht ziehen. Vierundzwanzig Stunden am Tag mischen sich im Gesichtsausdruck des Engländers heroische Entschlossenheit und selbstverständliche Sprungbereitschaft, als gelte es die Erfüllung einer historischen Mission. Wenn sie den Bus verlassen, möchte man ihnen am liebsten die Hand schütteln und ein paar aufmunternde Worte sagen, etwa:
»Kopf hoch, alter Junge. Es dauert nicht mehr lange, und die ewige Dankbarkeit der Nation ist dir sicher!«

Sollte der geneigte Leser infolge irgendeines Irrtums jemals in das Haus eines Engländers eingeladen werden, dann darf es ihn nicht überraschen, wenn der Hausherr vor Beginn der Mahlzeit seinen linken Schuh auszieht und ihn mit Sand füllt. Es handelt sich hier um ein geschichtliches Erinnerungs-Zeremoniell: während der Kämpfe um den Mount Tabor im Jahre 1193 hatten sich König Richards Schuhe mit Sand gefüllt, und eine eigene, in Schottland gelegene Fabrik ist bis heute ausschließlich damit beschäftigt, diesen speziellen, unter der Schutzmarke »Schottenfüllung« registrierten Schuhsand zu erzeugen. Es geht nichts über Tradition.

Und das ist bei weitem nicht alles. Jede Biskuit-Packung, die etwas auf sich hält, trägt eine Inschrift mindestens folgenden Inhalts: »Der Patentbrief zur Erzeugung dieses Biskuits wurde von König Karl während der Belagerung der Stadt Glasgow ausgestellt, als Seine Majestät sich von den Anstrengungen der Schlacht durch den Genuß unserer schmackhaften Erzeugnisse erholte.« Die andere Seite der Packung zeigt das Porträt des Königs mit einem satten, zufriedenen Gesichtausdruck.

Es gibt Zeiten, in denen selbst der gewöhnliche Ausländer in nahen persönlichen Kontakt mit den Engländern kommen kann, meistens zwischen vier und sechs Uhr nachmittag, während der Stoßstunden.

In London leben ungefähr acht Millionen Menschen. Siebeneinhalb Millionen benützen zwischen vier und sechs Uhr nachmittags die öffentlichen Verkehrsmittel, um nach Hause zu fahren. Das ist der Grund, warum der Schreiber dieser Zeilen zwischen vier und sechs Uhr nachmittags nie ein öffentliches Verkehrsmittel benützt hat, außer an jenem unvergeßlichen Donnerstag.

Allerdings wurden meine Frau und ich dadurch irregeführt, daß wir am Ansatz der Treppe, die zu der betreffenden

Untergrundbahnstation hinabführte, keine Schlange sahen.
Dann wird's schon nicht so schlimm sein, dachten wir und begannen den Abstieg. Unten angelangt, herrschte plötzlich ein solches Gedränge, daß wir sofort umkehren wollten. Es ging nicht mehr, und von da an verloren wir jeden Einfluß auf die Entwicklung der Dinge. Als wir an den Kassenschalter herangezwängt wurden, konnte ich noch mit knapper Not meine Geldbörse hervorziehen, aber sie wieder einzustecken, war mir nicht mehr möglich. Ich mußte sie während der ganzen Fahrt in der Hand halten. Die geliebte Gestalt meiner Frau sah ich zuletzt hoffnungslos eingekeilt auf der Plattform. Sie wandte mir ihr süßes Antlitz zu, und ich hörte sie etwas rufen, wovon ich nur Bruchstücke verstand:
»Leb wohl, Geliebter... auf ewig dein... und vergiß nicht... die Schlüssel...«
Dann entschwand sie endgültig meinen Blicken.
Während der Fahrt verspürte ich dann und wann von seitwärts den Griff eines Regenschirms zwischen den Rippen und glaubte ihn an der Form als den ihren zu erkennen. Um mich zu vergewissern, hätte ich den Kopf drehen müssen — aber wie? Ein Herr in schwarzem Mantel stand so dicht gegen meine Brust gepreßt, daß sogar unsere Nasen sich verschwisterten. Ich starrte ihm aus einer Entfernung von höchstens vier Zentimetern in die Augen; sie waren von himmelblauer Farbe, und ihre Pupillen flackerten unruhig. Wie sein Gesicht aussah, konnte ich nicht feststellen. Zu meiner Linken erspähte ich ab und zu die Umrisse einer Sportkappe, die sich an meinem Oberschenkel wetzte. Und von der andern Seite her bohrte sich der schon erwähnte Regenschirmgriff in meinen Brustkorb.
»Weib!« rief ich aufs Geratewohl. »Bist du's?«

Nach dreimaliger Wiederholung drang aus meilenweiter Ferne ein schwaches Stimmchen an mein Ohr:
»Liebster ... ja ... ich glaube, daß ich es bin ...«
Sie lebte also! Meine freigebliebene Hand — mit der andern hielt ich noch immer meine Geldbörse umklammert — tastete in die Richtung, aus der die Stimme gekommen war, verfing sich aber in einem fremden Büstenhalter, so daß ich alle weiteren Nachforschungen einstellen mußte. Auf einem meiner Füße — ich wußte nicht, auf welchem, denn ich hatte längst die Kontrolle über sie verloren — stand ein fremder Mensch, was meine Bewegungsfreiheit noch mehr beeinträchtigte. Dafür gelang es in einer scharfen Kurve meinem blauäugigen Gegenüber, seine Nase mit jähem Ruck von der meinen abzuziehen. Unsere Wangen klatschten leise aneinander und blieben fortan in Schmiegeposition, als wären wir ein argentinisches Tango-Tanzpaar. Zum Glück hatte ich einen gut rasierten Partner. Die Verbindungswege zu meiner Frau waren völlig zusammengebrochen.
Dies alles verblaßte jedoch vor einer neuen Katastrophe, die mir drohte: ich mußte niesen. Schon seit einer ganzen Weile spürte ich das kommen. Jetzt stand es unmittelbar bevor. Und wenn ich jetzt nicht sehr schnell zu meinem Taschentuch käme, würde Fürchterliches geschehen.
Übermenschliche Kräfte durchfluteten meinen linken Arm. Indem ich jedes kleinste Rütteln des Zuges ausnützte, gelang es mir, meinen Tangopartner so weit wegzudrücken, daß ich mit der Hand bis in die Hosentasche kam. Damit war aber erst der leichtere Teil des Unternehmens bewältigt. Um die Hand mit dem Taschentuch auch an meine Nase führen zu können, bedurfte ich noch einer gewaltigen Portion Glück.
Es gelang. An der nächsten Haltestelle verließ einer der

Fahrgäste den bisher von ihm gehaltenen Posten auf meinem Fuß und stellte dadurch einen Teil meiner Manövrierfähigkeit wieder her. Zwar schloß mich gleich darauf die nachdrängende Menge aufs neue ein, aber in jenem kurzen Augenblick relativer Freiheit hatte ich das Taschentuch tatsächlich in Nasenhöhe gebracht.
Bloß die Lust zum Niesen war mir unterdessen vergangen.
So ist das Leben.
Meine Hand mit dem Taschentuch verharrte in der erreichten Position, halblinks vom Mantelkragen des Blauäugigen und schräg unterhalb meines Kinns. Dort begann sie langsam zu erstarren.
Eine Minute später entglitt das Taschentuch meinen fühllos gewordenen Fingern und senkte sich in den Schoß des Sportkappenträgers.
Ich hatte keine Möglichkeit, mit dem Mann in Fühlung zu kommen. Ich konnte ihn nur stumm aus meinem rechten Augenwinkel beobachten.
In der nächsten Kurve blickte er zufällig an sich hinab, entdeckte das Taschentuch, hielt es für einen hemdeigenen Toilettefehler und stopfte es so rasch er konnte in seine Hose. Das verursachte ihm einige Mühe und, wie es schien, auch Verlegenheit. Kurz darauf stand er auf und verdrückte sich in der Menge. Möglicherweise ist er sogar ausgestiegen.
Als ich nach Hause kam, wurde ich bereits von meiner Frau erwartet. Wir stellten fest, daß wir das lebensgefährliche Abenteuer mit geringfügigen Bekleidungsschäden und Hautabschürfungen überstanden hatten, die wir in häuslicher Pflege belassen konnten.
Irgendwo in London, in einem Paar wildfremder Hosen, ruhte mein Taschentuch.

Wofür interessiert sich der Engländer wirklich? Woran erfreut er sich in seinem Heim? Was entzückt ihn? Ist es der vorbildlich gepflegte Rasen? Die glorreiche britische Flotte? Die Magna Charta? Shakespeare? Die Beatles? Das alles erfüllt ihn mit Stolz, gewiß. Aber was ihn wirklich begeistert, ist die Kriminalstatistik.

Die Diät des durchschnittlichen Engländers besteht in der Konsumation eines Thrillers pro Tag. Wenn er damit fertig ist, dreht er die Augen himmelwärts und beklagt das ständige Anwachsen der Kriminalität auf seiner geliebten Insel. Und in der Tat: es hat den Anschein, als wäre England das bevorzugte Aktionsgebiet aller Meisterverbrecher der Geschichte.

»Die Liste der bei uns verübten Sexualdelikte ist größer als die von ganz Westeuropa zusammen«, äußerte verträumten Blicks mein britischer Gewährsmann. »Nehmen Sie Jack the Ripper. Wo gibt es seinesgleichen noch? Oder Mr. Crippen, der nicht weniger als neun Frauen mit eigener Hand erwürgt und die Leichen im Keller seines Hauses in einem Schwefelsäurepräparat aufgelöst hat! Ist das nicht phantastisch? Oder denken Sie an diesen unheimlichen Irren, der den Sheffield-Expreß zum Entgleisen brachte. Oder an den gewaltigen, noch immer nicht aufgeklärten Postraub vom vorigen Jahr ... Übrigens erhalten die bedeutendsten Taschendiebe der Welt ihre Ausbildung in Soho, und die Londoner East Side beherbergt unvergleichliche Safe-Knacker. Ganz zu schweigen von den Juwelendieben, die damals den zwei Meilen langen Tunnel gelegt haben, um an den Kronschatz im Tower heranzukommen ... Lauter geniale Burschen, auf ihre Art ...«

Ohne diesen durchaus begreiflichen Nationalstolz — dem man auch die kleine, harmlose Prahlsucht nicht übelnehmen kann — hätten es die Engländer wohl nie zur Meisterschaft

in einem ganz bestimmten Kunstzweig gebracht: wir meinen die Kriminalfilme, in denen etliche liebenswerte Gentlemen dicht unter den Augen einer unfähigen Polizei die tollsten Verbrechen begehen und Erfolg damit haben. Erst ganz am Ende, im allerletzten Augenblick, gewissermaßen mit dem Schlußpfiff des Schiedsrichters, kommen Gesetz und Moral doch noch zu ihrem Recht, etwa indem die Schurken an einer Wegbiegung ihre Beute verlieren, die dann zufällig von der Polizei gefunden wird. Aber unsre Sympathie gehört den ehrenwerten Mitgliedern der britischen Unterwelt, die vor unseren Augen einen alten Menschheitstraum verwirklichen: das perfekte Verbrechen ...
Zum Dank, und zum Zeichen unsrer Wertschätzung, präsentieren wir im folgenden einen szenischen Entwurf für den Film »Der Überfall auf die Bank von England«, mitten im Zentrum Londons, vor den Augen der Passanten und mit tatkräftiger Hilfe der Polizei. Achtung, Aufnahme!

Zeit: 0.30 Uhr. Eine halbe Stunde nach Mitternacht. Alles ist bereit.
Die drei vom »Royal Arms Club« zur Verfügung gestellten Experten — Major Forsythe, Spezialist für Dynamitsprengungen, Oberst i. R. James F. Foggybottom, ehemaliger Kommandant der 6. Fallschirmspringer-Division, und Albert Sheffield, ein hoher Beamter im Finanzministerium — haben vor dem versperrten Eingangstor der Nationalbank Posten bezogen. Sie tragen schwarze Masken und verfügen über alle Werkzeuge, die zur klaglosen Durchführung der Aktion vonnöten sind. Im gleißenden Licht der von mehreren Stellen auf das Eingangstor gerichteten Jupiterlampen erkennt man deutlich die schweren Stahlplat-

ten. Major Forsythe ist mit dem fachgemäßen Anbringen einer Dynamitladung beschäftigt, während Peter Sellers seine ganze Popularität einsetzt, um die neugierig herandrängenden Zuschauer wegzuscheuchen:
»Bitte weitergehen, Ladies and Gentlemen! Nicht so nahe! Wir können sonst nicht arbeiten!«
Das nützt natürlich nichts. Die Leute lassen sich nicht vertreiben.
»Was ist denn los?« fragen sie. »Was geschieht hier?«
»Ein Raubüberfall auf die Bank von England«, erklärt Sellers. »Das perfekte Verbrechen.«
»Aha ... interessant ...«
Auf einem Faltstuhl gegenüber dem grell angeleuchteten Portal sitzt Sir Alec Guiness, auf dem Kopf die Kappe mit dem großen Lichtschirm, in der Hand den Einstellungs-Sucher. Daneben, auf eindrucksvoll hochgeschraubtem Gestell, die Kamera. Sir Alec erteilt den Mitwirkenden die letzten Anweisungen:
»Seid ihr so weit?« ruft er. »Also. Wenn das Tor gesprengt ist, dringt ihr sofort ein. Ich möchte weder Zeit noch Material für eine zweite Aufnahme verschwenden! Ist ein Polizist in der Nähe?«
»Jawohl, Sir!« Das wachthabende Sicherheitsorgan meldet sich. »Hier bin ich, Sir!«
»Bitte sorgen Sie dafür, daß wir nicht gestört werden. — Alles fertig? Klappe!«
Während der Polizist die Neugierigen abdrängt, hält Peter Sellers eine schwarze Tafel vor die Kamera; sie trägt folgenden mit Kreide geschriebenen Text:

DER GROSSE BANKRAUB. AUSSEN, NACHT. EINSTELLUNG 7. SCHUSS 1.

Die am untern Ende der Tafel angebrachte Holzklappe wird zugeschlagen. Mit angehaltenem Atem beobachtet die Menge, wie Major Forsythe die Zündschnur in Brand steckt. Surrend schwenkt die Kamera hinter der immer schneller an der Schnur entlangzüngelnden Flamme her. Plötzlich eine furchtbare Explosion. Das stählerne Tor der Bank von England biegt sich, springt aus den Angeln und fällt dröhnend aufs Straßenpflaster. Aus den dicken Rauchschwaden wankt wie betäubt eine Männergestalt hervor, die Augen schreckhaft geweitet:
»Hilfe!« schreit der Nachtwächter der Bank von England. »Räuber! Polizei! Überfall! Hilfe!«
»Sehr gut!« ruft ihm Sir Alec aufmunternd zu. »Bitte noch etwas lauter! Mehr Panik in der Stimme! Ausgezeichnet!«
Jetzt springt Oberst i. R. Foggybottom auf den Nachtwächter los, um ihn mit einem wohlgezielten Hieb k. o. zu schlagen. Der Nachtwächter taumelt, geht in die Knie, rollt ein paar Meter seitwärts und zeigt an den weiteren Vorgängen kein Interesse.
»Schnitt!« Sir Alec macht eine abschließende Handbewegung. »Gut bei mir! Kopieren.«
Die Menge entspannt sich. Einige zittern vor Nervosität. Man wohnt ja nicht jeden Tag einer so aufregenden Filmaufnahme auf offener nächtlicher Straße bei.
Aber auch kritische Stimmen werden hörbar.
»Der Nachtwächter war nicht sehr überzeugend ... er ist falsch erschrocken ... ich habe den Dialog nicht verstanden ... Unsinn, der Dialog wird erst später im Atelier aufgenommen ... stimmt, hier ist zuviel Lärm ...«
Jetzt fährt Peter Sellers wieder dazwischen:
»Bitte um Ruhe! Und bitte nicht so weit nach vorn drängen! Wir müssen mit dem Raubüberfall fertig werden, solange es noch dunkel ist!«

In den Fenstern der umliegenden Häuser werden verschlafene Gestalten sichtbar:
»Schon wieder eine Filmaufnahme«, murmeln sie mißmutig. »Filme und nichts als Filme. Warum machen sie das nicht in ihren Ateliers ...«
»Davon verstehen Sie nichts!« hält ihnen ein Eingeweihter entgegen. »Es würde viel zuviel Geld kosten, im Atelier die Bank von England aufzubauen ...«
Ein Zuschauer spricht sich dafür aus, die Szene, in der der Nachtwächter niedergeschlagen wird, zu streichen; die Zensur würde so etwas nie durchlassen.
Ein andrer fragt, ob das schon die endgültige Fassung sei.
»Wir machen während der Aufnahme kleine Änderungen«, antwortet Peter Sellers.
Wieder andere versuchen zu erraten, welche Schauspieler sich hinter den schwarzen Gesichtsmasken verbergen.
Der wachthabende Polizist erkundigt sich, welche Gesellschaft den Film dreht.
»Unsre eigene.«
»Und wer finanziert die Produktion?«
»Die Regierung.«
Ob die Szenen genau in der Reihenfolge gedreht werden, fragt ein Laie.
Peter beruhigt ihn. Gerade jetzt sei man im Innern des Gebäudes mit der nächsten Sequenz beschäftigt.
»Ruhe!« unterbricht Sir Alec. »Ich möchte die Alarmglocke von drinnen klar aufs Tonband bekommen! Fahren wir!«
Die Kamera fährt dicht an die gesprengte Mauer heran. Major Forsythe kriecht durch das Loch. Im nächsten Augenblick schrillt die Alarmglocke.
»Schnitt!« brüllt Sir Alec — und schon schneidet der Major die elektrischen Drähte durch. Das Alarmsignal verstummt.

Einige Umstehende bemerken tadelnd, daß es sich hier um eine plumpe Nachahmung amerikanischer Gangsterfilme handelt.
Zwei Überfallswagen der Polizei erscheinen auf der Bildfläche und bringen wieder ein wenig Disziplin in die unruhig gewordene Menge. Sie überprüfen die Apparaturen, klettern zu den Jupiterlampen hinauf, stellen dumme Fragen, stören die Arbeit und werden noch auf andre Weise lästig:
»Könnten wir nicht irgendwie ins Bild kommen? Nur für einen einzigen Schuß? In der Totale? Na? Seid nett!«
Sir Alec wählt fünf von den Gesetzeshütern aus und läßt sie das Gebäude betreten, wo gerade die letzte Aufnahme gedreht wird.
Die freiwilligen Helfer strahlen vor Glück, sind begeistert, daß sie das schwere Stahlsafe heraustragen dürfen und kommen bei dieser Gelegenheit vom Profil ins Bild. Dann legen sie das Safe auf die Seite. Diese Aufnahme wird mehrmals wiederholt, so daß Major Forsythe von allen Seiten Löcher in den Stahl drillen kann, wobei er unter dem grellen Jupiterlicht in Schweiß gerät und erbärmlich flucht.
Endlich, gegen vier Uhr morgens, kommt die letzte Einstellung dran:

ABTRANSPORT DER BEUTE. AUSSEN, NACHT. EINSTELLUNG 18. SCHUSS 1.

Achtzig Millionen Pfund werden in Tausenderbündeln in große graue Säcke gestopft. Kameras und Jupiterlampen werden abmontiert und zusammen mit den Geldsäcken auf ein bereitstehendes Lastauto verladen, das unter den Hochrufen der Zuschauer davonfährt.
»Bye-bye!« ruft der Kommandant des Überfallkomman-

dos hinterher. »Und vergeßt nicht, uns Karten zur Premiere zu schicken! Bye-bye!«
Die Bemannung des Lasters winkt fröhlich zurück und verschwindet mit ihrer Beute im Dunkel der Nacht.
An der nächsten Straßenkreuzung erfolgt ein Zusammenstoß mit einem um die Ecke biegenden Sportwagen, dessen Fahrer zusammensackt und leblos über dem Lenkrad liegenbleibt.
»Hölle und Teufel«, preßt Sir Alec zwischen den Zähnen hervor. »Wir haben den britischen Filmzensor getötet.«
Alle stehen erschüttert, einige haben Tränen in den Augen. Bei den letzten 270 Raubüberfällen auf die Bank von England hat sich der Zensor immer als loyaler Freund erwiesen. Sir Alec seufzt auf und verständigt sich durch stumme Blicke mit den anderen. Wortlos beginnen sie die Säcke mit den gestohlenen Banknoten in den Wagen des Zensors zu verladen . . .

ABBLENDEN

Die Londoner Straßen bieten manch sehenswerten Anblick. Während der ersten Tage unsres Aufenthaltes hatten meine Frau und ich immer wieder die größte Mühe, nicht laut herauszulachen, wenn wir die Scharen junger, schnurrbärtiger Engländer sahen, die ganz in Schwarz gekleidet waren, mit schwarzen Melonen auf dem Kopf, einem schwarzen Regenschirm in der Rechten, und in der Linken unweigerlich die »Times«. Es war zu komisch.
Nach ein paar Tagen hatten wir uns an diesen Anblick gewöhnt und schämten uns unsres unreifen Betragens.
Und dann, eines Abends, gingen wir ins Theater. Man gab eine englische Komödie. Auf der Bühne erschien ein Schau-

spieler in der oben beschriebenen Gewandung, welche auch die Gewandung der meisten Zuschauer war — worauf die Zuschauer in ein so schallendes, immer wieder losplatzendes Gelächter ausbrachen, daß die Billeteure Beruhigungstabletten verteilen mußten. Übrigens sind in englischen Theatern während der Vorstellung alle möglichen Dinge zu haben, Cakes, Steaks, Kissen, Bücher, Bilder, Bilderbücher, notfalls auch Haarwasser. Aber warum es die Engländer so sehr erheitert, auf der Bühne ihre eigenen Kleidungsstücke zu sehen, die sie doch an sich selbst in keiner Weise komisch finden — das gehört zu den vielen Geheimnissen des englischen Humors.

Ich gestehe, daß ich die Engländer um ihren Humor nicht weniger beneide als um die unvergleichliche Ausdruckskraft ihrer Sprache. Am meisten jedoch beneide ich die englischen Humoristen. Und zwar beneide ich sie um ihr Publikum, dessen Lachbereitschaft ans Wunderbare grenzt. Es ist nicht bloß ein dankbares Publikum, es ist eine Nummer für sich. Wer jemals einen der orkanartigen Lachstürme miterlebt hat, die von jedem durchschnittlichen Varieté-Programm oder von den populären Rundfunksendungen der BBC entfesselt werden, wird mich verstehen. Wir in Israel genießen den Vorzug, diese Sendungen Tag für Tag hören zu können, wenn wir den britischen Militärsender der nahe gelegenen Insel Cypern einstellen.

Den Beginn des Lach-Bacchanals auf Kurzwelle erkennt man an einem donnernd einsetzenden Applaus. Er ist das Zeichen, daß die beiden Protagonisten des Heiterkeitsfestes die Szene betreten haben. Wenn er verklungen ist, fragt der eine von ihnen den andern in breitem, nicht wiederzugebendem Cockney-Akzent:

»Was'n los mit dir, Charlie?«

Die dröhnende Lachsalve, die darauf folgt, schrumpft als-

bald zum verlegenen Hüsteln gegen die orkanartige Reaktion auf die Antwort des Befragten:
»'ch hab heut morgen 'n fürchterliches Sausen im Kopf gehabt, hab ich gehabt.«
»Und was, Charlie«, fragt der erste, »was saust 'n in deim Kopfe, was saust da?«
An diesem Punkt nimmt der allgemeine Lachkrampf die Ausmaße einer hemmungslosen Massenhysterie an. Es dröhnt derartig, daß der Apparat in Splitter zu gehen droht. Quer hindurch schrillen die letzten spitzen Aufschreie der in Ohnmacht fallenden Frauen. Im Hintergrund hört man die Sirenen der anfahrenden Ambulanzwagen. Aber das ist noch immer nicht der Gipfel. Der wird erst nach der nächsten Antwort erreicht. Sie lautet:
»Was da saust? Weiß ich nicht!«
Kein Rand und kein Band mehr, aus dem das Publikum jetzt nicht geriete. Brüllendes, tosendes Gelächter von noch nie berechneter Megaphon-Stärke geht in rhythmisches Händeklatschen über, das von gellenden Pfiffen der Begeisterung kontrapunktiert wird. Minutenlang muß der erste Fragesteller warten, um die folgende Vermutung halbwegs hörbar zu machen:
»Vielleicht hast du in der Nacht nicht gut geschlafen, Charlie?«
»Wie soll ich denn schlafen, wenn's mir so im Kopfe saust, eh?«
Das gibt dem Publikum den Rest. Das bringt die letzten Säulen der sprichwörtlichen britischen Zurückhaltung krachend zum Einsturz. Was sich jetzt abspielt, ist mit »Erdbeben« nur unzulänglich angedeutet. Es bedarf des prompten Einsatzes aller verfügbaren Platzanweiser, Sicherheitsorgane und Hilfstruppen, um völliges Chaos zu verhindern. Ein Sprecher meldet mit gedämpfter Stimme zwei

Todesfälle. Dann ist die letzte noch intakte Röhre des Empfangsapparates durchgebrannt.
Der ausländische Hörer aber sitzt vor den rauchenden Trümmern seines Geräts und fragt sich ebenso verwundert wie vergebens, was da vorgegangen ist und was die eigentliche Ursache dieser orgiastischen Heiterkeitsstürme war.
Jetzt wissen wir's. Und wenn wir von unsrem Besuch in England nichts andres mitgebracht hätten als diese Erkenntnis, so hätte sich's gelohnt. Jetzt wissen wir's: die beiden Protagonisten müssen schwarze Melonen getragen haben . . .

Auch im Londoner Straßenverkehr tritt der Humor in seine Rechte. Zum Beispiel wird in England nicht — wie überall sonst in der Welt — rechts gefahren, sondern links. An dieser ungewöhnlichen Verkehrsordnung halten die Engländer mit der gleichen traditionsgebundenen Hartnäckigkeit fest wie an ihren (auch nicht mehr ganz zeitgemäßen) Gewichts- und Münzeinheiten.
Ferner gibt es in jeder Stadt mindestens fünfundzwanzig Straßen mit demselben Namen. Ein Blick auf den Stadtplan läßt erkennen, daß die gleichlautenden Namen nach den Ergebnissen eines Würfelspiels über das Straßennetz verteilt wurden, wohin sie gerade fielen.
Häuser werden in England nicht mit abwechselnd geraden und ungeraden Ziffern numeriert. Man verwendet das Bumerang-System. Man beginnt auf der einen Straßenseite mit der fortlaufenden Numerierung der Häuser, und wenn es keine Häuser mehr gibt, läßt man die Nummern wieder zurücklaufen, so lange, bis sie auf einen Ausländer treffen und ihn niederstrecken. Witzbolde behaupten, daß manche Straßen in London anfangen und in Liverpool aufhören.

Die Frage liegt nahe, wie sich die Engländer unter solchen Umständen in ihren eigenen Städten zurechtfinden.
Die Antwort lautet: sie finden sich nicht zurecht. Sie selbst kommen aus dem Staunen nicht heraus, halten sich aber auf dieses Staunen soviel zugute, daß sie es um keinen Preis missen möchten. Auch scheint es für sie von unerhörtem Reiz zu sein, einander zu erklären, wo sie wohnen und wie man zu ihrer Wohnung gelangt.
»Die Straße heißt St. John's Wood Court Road. Aber das Haus, in dem wir wohnen, heißt St. John's Wood Court House und liegt ganz anderswo, nämlich knapp vor der Kreuzung von St. John's Court Street und St. John's Road Wood. Können Sie mir folgen?«
»Nein.«
»Wissen Sie, wo Tottenham Court Road liegt?«
»Ja.«
»Ausgezeichnet. Dort nehmen Sie ein Taxi und geben dem Fahrer die Adresse.«
Glücklicherweise wohnten wir nicht im Zentrum Londons, sondern in einem »Swiss Cottage« genannten Stadtteil, dessen gleichnamige Untergrundbahnstation uns als sicheres Erkennungszeichen diente. Wir waren endlich dem Würgegriff der Hoteliers entgangen und hatten uns in einer Privatwohnung eingemietet. Ihre Inhaberin hieß Mrs. Mrozinsky und war, wie schon aus ihrem Namen hervorging, die einzige Witwe des verewigten Mr. Mrozinsky, eines typisch englischen Gentlemans von polnischem Geblüt. Er hatte ihr ein kleines Häuschen hinterlassen, dessen entbehrliche Zimmer an farbige Touristen zu vermieten waren (und da wir aus Israel kamen, wurden wir vom Zimmervermittlungsdienst in diese Kategorie eingestuft). Der Rest der Verlassenschaft bestand in einem hellhaarigen Hund namens Oswald, einer undefinierbaren Promenaden-

mischung, die aber von Mrs. Mrozinsky kaltblütig als hochgezüchteter Spaniel vorgestellt wurde. Sei dem wie immer — Mrs. Mrozinsky, die seit dem Beginn des zweiten Weltkriegs in England lebte, hatte sich dort schon so vollkommen akklimatisiert, daß sie auch die traditionelle Zuneigung des Engländers zu seinen vierbeinigen Freunden teilte. Sie sprach von Oswald viel öfter und liebevoller als von ihrem dahingeschiedenen Gatten, und sie hätte das geliebte Tier nicht eine Minute lang allein lassen mögen. Einmal aber geschah das doch.

An jenem schicksalsschweren Nachmittag klopfte Mistreß Mrozinsky an unsre Zimmertüre und teilte uns mit, daß ihre Schwester plötzlich erkrankt sei, in Nottingham im Spital läge und dringend ihren Besuch erwarte, heute noch, sofort.

Uns ahnte Böses.

»Sollten Sie nicht besser erst morgen fahren, Mrs. Mrozinsky?« fragte ich besorgt. »Nächtliche Reisen sind unbequem.«

»Ich dachte, daß Sie mir den kleinen Gefallen tun ...«

»Man wird Sie bei Nacht gar nicht in das Spital hineinlassen ...«

»... und auf Oswald achtgeben könnten ...«

»... weil der Patient schlafen muß ...«

»... nur bis morgen mittag ...«

»Warum telephonieren Sie nicht nach Nottingham?«

»Ich danke Ihnen.«

Und ohne den einigermaßen wirren Dialog fortzusetzen, brachte sie uns den fröhlich wedelnden Oswald ins Zimmer.

»Sie brauchen ihn nicht öfter als einmal am Tag auf die Gasse zu führen«, rief sie uns im Abgehen zu. »Lassen Sie ihn ruhig an der Türe kratzen.«

»In England darf man Hunde in den Zug mitnehmen«, rief ich ihr nach. Aber die Wände blieben stumm.
Das alles wäre nie geschehen, wenn unsere Beziehungen zu Mrs. Mrozinsky nicht gar so freundlich gewesen wären. Die alte Dame hatte sich eng an uns angeschlossen, hatte uns von den Schrecken des Blitzkriegs und des Bombardements erzählt, von den ständig wachsenden Lebenskosten in England und von vielen anderen persönlichen Problemen. Jetzt rächte sich unsre Geduld. Nicht als ob wir etwas gegen Hunde gehabt hätten. Wir lieben Hunde. Besonders meine Frau liebt sie sehr. Je weiter so ein Hund entfernt ist, desto mehr liebt sie ihn. Auf Reisen allerdings liebt sie ihn nicht einmal dann. Und folglich war das Gespräch, das nach Mrs. Mrozinskys Abgang zwischen uns stattfand, nicht besonders liebevoll.
»Warum, um Himmels willen, hast du dich breitschlagen lassen?« fragte meine Frau.
»Na wenn schon«, antwortete ich. »Dann werden wir den Hund eben ins Theater mitnehmen.«
Das war alles.
Mit der größten Selbstverständlichkeit hüpfte Oswald in unsern gemieteten Mini-Minor, als wir am Abend ins Ambassador-Theater aufbrachen, wo die »Mausefalle« immer noch ausverkaufte Häuser machte. Oswald nahm den Rücksitz und heulte. Er hörte nicht auf zu heulen. Er heulte wie ein kleines Kind. Ich habe noch nie einen erwachsenen Hund getroffen, dessen Heulen dem Heulen eines kleinen Kindes so ähnlich war. Und so ausdauernd. Schön und gut, sein Frauchen war zu ihrer Schwester nach Nottingham gefahren. Aber schließlich hatte sie ihn nicht auf der Straße ausgesetzt, wie? Er saß ja in einem weichen Rücksitz eines beinahe neuen, gutgepolsterten, englischen Wagens, nicht wahr? Was gab es da zu heulen?

»Das ist kein Hund«, stellte die beste Ehefrau von allen sachlich fest. »Das ist ein getarnter Schakal. Gott steh uns bei!«

Ich parkte den Wagen in einer nahen Seitengasse (mit Mietwagen hat man keine solche Angst vor Strafzetteln). Das Rückzugsgefecht gegen den stürmisch nachdrängenden Oswald war kurz und heftig. Es endete mit seiner Niederlage. Lange sah er uns nach, die Schnauze ans Fenster gepreßt, die Augen voller Tränen. Und er hörte nicht auf zu heulen ...

Der Mörder bewegte sich noch vollkommen frei auf der Bühne, als unser schlechtes Gewissen uns aus dem Theater trieb, zurück zu dem Hund, den wir lebendig begraben hatten. Wir fanden Oswald in schlechter Verfassung. In den zwei Stunden pausenlosen Heulens und Bellens war er heiser geworden und konnte nur noch jaulen. Dafür sprang er, wie wir schon von weitem sahen, unermüdlich im Innern des Wagens hin und her, von einem Fenster zum andern, und zwischendurch aufs Lenkrad, wo er die elektrische Hupe betätigte.

Eine Menge Fußgänger stand um den Wagen herum. Eine feindselige Masse. Ihr Urteil war einmütig, und es war ein Urteil der Verdammnis.

»Wenn ich den Kerl erwische ...« äußerte ein athletisch gebauter junger Mann, unter dessen bloßem Ruderleibchen die Muskeln schwollen. »Wenn ich den Kerl, der das arme Tier eingesperrt hat, zwischen die Fäuste bekomme ...«

»Die haben nicht einmal daran gedacht, das Fenster einen Spalt breit offenzulassen«, murrte ein andrer. »Das arme Tier wird ersticken.«

»Solche Leute müßte man einsperren ...«

»Dann würden sie wenigstens wissen, wie das tut ...«

Den letzten Worten folgte allgemeine Zustimmung, der

auch ich mich anschloß. Der Mann im Ruderleibchen hatte mir nämlich gleich bei meinem Auftauchen einen bösen Blick zugeworfen.
»Diesen Barbaren gebührt nichts Besseres«, sagte ich eilig. »Mit einem hilflosen Tier so umzugehen . . .«
Es war höchste Zeit für eine Klarstellung meiner Position, denn Oswald hatte uns entdeckt und bellte hinter dem Fenster direkt auf uns los.
»Es kann nicht mehr lange dauern, Schnauzi«, tröstete ihn ein gebrechlicher alter Herr. »Die Mistkreaturen, die dich hier allein gelassen haben, müssen ja irgendwann zurückkommen.«
»Wenn ich den Kerl erwische!« wiederholte der Ruderleibchenathlet. »Der wird nichts zu lachen haben!«
Es machte keinen guten Eindruck auf mich, daß dem Athleten einige obere Zähne fehlten. Ich hielt es für angebracht, seinen Tatendurst abzulenken.
»Lassen Sie auch noch etwas für mich übrig!« rief ich mit geballten Fäusten. »Ich breche ihm jeden Knochen im Leib.«
»Recht so!« Und das war meine Frau. »Jeden einzelnen Knochen!«
Was zum Teufel fiel ihr da ein? Wollte sie den Mob gegen mich aufhetzen? Oder Ruderleibchens athletische Fähigkeiten auf die Probe stellen?
Die Atmosphäre roch deutlich nach Lynchjustiz. Wenn diese Fanatiker jetzt noch draufkämen, daß es ein verdammter Ausländer war, der einen britischen Vierbeiner mißhandelt hatte . . . Oswald merkte natürlich, in welch peinlicher Lage wir uns befanden, und verstärkte die Peinlichkeit durch unablässiges Hupen. Er besaß offenbar kein Organ dafür, daß seine Stiefeltern ohnehin ihr möglichstes taten. Eben jetzt hatte ich mit blutrünstig verzerrtem Gesicht nochmals ausgerufen:

»Na? Wo steckt der Lump?«
Eine verwitterte, längst ausgediente Repräsentantin des Londoner Nachtlebens verlor die Geduld:
»Steht nicht bloß so herum, ihr Männer!« rief sie mit schriller Stimme. »Tut doch endlich was!«
Aller Augen wandten sich mir zu. Meine kompromißlose Angriffsbereitschaft hatte mich unversehens in die Führerrolle gedrängt, trotz meinem ausländischen Akzent. Ich ergriff das Steuer:
»Die Dame hat vollkommen recht«, sagte ich entschlossen und deutete mit Feldherrngeste auf das Ruderleibchen: »Sie dort! Holen Sie sofort einen Polizisten!«
Meine Hoffnung, den Gewalttäter auf diese Weise loszuwerden, blieb leider unerfüllt. Er schüttelte den Kopf.
»Mit der Polizei verkehre ich nicht«, grinste er.
»Ich würde schon einen holen«, nuschelte der gebrechliche alte Herr. »Aber ich habe das Zipperlein in den Knien.«
»Es gibt in dieser Gegend keine Polizisten«, ließ ein Ortskundiger sich vernehmen. »Der nächste steht auf der Monmouth Street.«
Es war offenkundig, daß die Leute sich vor der Erfüllung ihrer Bürgerpflicht drücken wollten.
»Schön.« Mein Blick streifte verächtlich über die untätige Schar. »Dann nehme ich den Wagen und hole die Polizei. Ihr wartet hier.«
Damit hatte ich den Schlag geöffnet, hatte meine verblüffte Gattin mit raschem Schwung in den Wagen gestoßen und gab Vollgas. Die Größe des Augenblicks machte sogar Oswald verstummen. Auch die disziplinierte britische Menge blieb auftragsgemäß stehen. Erst als wir schon gut zwanzig Meter zwischen sie und uns gelegt hatten, kam Leben in die Bande. Wir hörten noch ein paar wilde Flüche, sahen noch einige drohende Gestalten zur Verfolgung ansetzen —

dann waren wir um die Ecke und gerettet. Oswald leckte mir überglücklich Hände und Gesicht. Er war wirklich ein herziges, braves Tierchen, unser Oswald. Wir hatten ihn richtig liebgewonnen, als wir uns ein paar Tage und hoffentlich für immer von ihm verabschiedeten.

Bevor wir den Flug über den Ozean antraten, leisteten wir uns noch rasch einen Zwischenaufenthalt in Amsterdam. Wie so viele unserer Landsleute hegten wir aufrichtige Zuneigung zu den Holländern, die sich ihre Anständigkeit und Menschlichkeit auch zu einer Zeit bewahrt hatten, da diese beiden Eigenschaften in Europa nicht eben hoch im Kurs standen. Außerdem hatten wir auf unserer Reise immer wieder die Kunstschätze Hollands rühmen hören und die baulichen Schönheiten der holländischen Städte. Amsterdam, so sagte man uns, stünde um nichts hinter Venedig zurück: imposante Kanäle ... Gärten und Statuen ... prächtige Theater und Konzertsäle ... zauberhafte Giebelhäuser ... ganz zu schweigen von ... also von diesem gewissen Viertel, wo man an den Fenstern ... angeblich gibt es so ein Viertel in Amsterdam ... mit Mädchen an den Fenstern ... ein berühmtes Viertel ... und dort sitzen sie also an den Fenstern, die Mädchen.
Selbstverständlich hatten wir diesem albernen Touristengewäsch weder Ohr noch Glauben geschenkt. Auch ich selbst hatte kaum hingehört. Solche Dinge interessieren mich nicht. Ich bin ein ernster, reifer, vom Leben hart geprüfter Mann, der seine Erfahrungen bereits hinter sich hat. Ich mache in einer Stadt, die für ihre Museen berühmt ist, nicht etwa deshalb Station, um dann vielleicht ... ich denke nicht daran.
»Also du denkst nicht daran«, nickte meine Gattin, als wir

dem Flugzeug entstiegen. »Ganz wie du willst. Was mich betrifft, so möchte ich keinesfalls darauf verzichten, die Mädchen in den Fenstern sitzen zu sehen.«
Ich fragte, wo ihre frauliche Würde bliebe, bekam aber eine ausweichende Antwort:
»Es gibt sogar einen Film mit Marina Vlady, der in diesem Amsterdamer Viertel spielt. Das muß man sich anschauen.«
Ich bin lange genug verheiratet, um zu wissen, wann jeder Widerspruch sinnlos wird. Und da auch ich im Grund meines Herzens eine gewisse Neugierde nicht ganz unterdrücken konnte, gab ich nach. Als wir das Taxi bestiegen, war die Sache entschieden. Wir würden hingehen.
Hin? Wohin? Und wie? Das bewußte Viertel war in keinem Stadtplan eingezeichnet und der Weg in keinem Touristenführer beschrieben.
»Dann mußt du jemanden fragen«, sagte die beste Ehefrau von allen.
»Frag doch du!«
»Ich, wenn mich nicht alles täuscht, bin die Dame von uns beiden.«
Eine ungemein anregende Diskussion war die Folge. Ich erklärte meiner Gattin, daß gerade deshalb, *weil* sie eine Dame und als solche über jeden Verdacht erhaben wäre, das Einholen derartiger Auskünfte ihr zufiele, nicht mir. Oder sollte ich mich vielleicht auf die Straße stellen, den erstbesten Passanten aufhalten und — ich arbeitete das Lächerliche der Situation kraß heraus — und ihn ganz einfach fragen, wo man in Amsterdam die ... also die Fenstersitzerinnen fände. Das kann man mir doch nicht zumuten.
Ich sei ein Feigling und sollte mich schämen, resümierte meine Gattin und beugte sich zum Fahrer vor:

»Sagen Sie einmal ... was ist denn hier in Amsterdam besonders sehenswert? Ich meine: besonders?«
»Im Königlichen Museum wurde gestern eine moderne Kunstausstellung eröffnet«, antwortete der gut unterrichtete Chauffeur. »Und das internationale Musikfestival soll ganz hervorragend besetzt sein.«
»Ja, gewiß. Aber das meine ich eigentlich nicht. Mein Mann und ich würden gerne etwas wirklich Aufregendes sehen.«
»Ich verstehe. Dann gehen Sie doch um Mitternacht in den Hafen, wenn die Gemüsekähne ausgeladen werden. So etwas sieht man nicht oft ...«
»Danke für die Auskunft. Vielen Dank.«
Ich saß im Fond, das Gesicht von Schamröte übergossen. Anderseits begann sich mein männlicher Stolz zu melden. Ich bin ja kein kleines Kind mehr, das sittsam an der Hand seiner Gouvernante dahinzutrippeln hat. Wenn ich wissen will, wo man die ... wo man diese Fenster findet, dann gehe ich eben zum Hotelportier, beuge mich lässig zu ihm vor und frage ohne alle Umschweife:
»Hören Sie, lieber Freund, wo sind hier ... Sie wissen schon ... das mit den Fenstern ...«
Ein freundliches, verständnisvolles Lächeln erhellte das Gesicht des Portiers:
»Die Königin weilt um diese Zeit in ihrer Sommerresidenz. Aber den königlichen Palast können Sie jederzeit besuchen. Sie finden ihn mühelos. Jeder Mensch zeigt Ihnen den Weg.«
»Danke sehr.«
Es war wirklich zu dumm. Der Gedanke, daß vielleicht ein paar Straßenzüge weiter, ja vielleicht schon hinter der nächsten Ecke die Gegend anfing, wo Scharen lässig hingelehnter Frauen aus allen Fenstern hervorlugten, ohne daß wir sie zu finden wußten — dieser Gedanke konnte einen

empfindsamen Menschen sehr wohl an den Rand des Wahnsinns treiben. Ein Glück, daß unser Abend bereits durch eine Einladung des holländischen PEN-Clubs belegt war.
»Wir fliegen morgen um acht Uhr ab«, zischte die beste Ehefrau von allen. Wir brauchen die Adresse noch heute nacht!«
Heute nacht. Dann blieb nur der PEN-Club als Auskunftsstelle übrig. Aber wie sollte ich das Gespräch in die geeigneten Bahnen lenken?
Als das Einleitungsgeplauder zu verebben begann, stürzte ich ein Glas des schärfsten indonesischen Reisschnapses hinunter und wandte mich an einen Vertreter des einheimischen Geisteslebens:
»Spinoza, zu dem Sie ja sicherlich eine besondere, lokalbedingte Beziehung haben — Spinoza hat die These aufgestellt, daß die Philosophie eigentlich nur als Katharsis eines hypokritischen Humanismus aufzufassen sei. Das heißt: der Philosoph entlarvt die konventionellen Lügen der Gesellschaft, in deren Schatten und unter deren Schutz die menschliche Hypokrisie ihre Paläste baut, die in Wahrheit nichts weiter sind als — verzeihen Sie den Ausdruck — Bordelle!«
»Ja, ja«, bestätigte mein Gesprächspartner, einer der führenden Erkenntnistheoretiker des Landes. »Spinozas scharfer, analytischer Verstand ist bis heute unübertroffen.«
Der Mann war ein Kretin. Hätte er nur ein wenig Intelligenz und Instinkt besessen, so müßte seine Antwort ungefähr folgendermaßen gelautet haben: ›Apropos Bordelle — gleich hier, mitten in Amsterdam, gibt es ein ganzes Viertel, wo Frauen in jeder Preislage in den Fenstern sitzen. Wollen Sie sich das nicht ansehen?‹ Das wäre die passende Antwort gewesen. Statt dessen erzählt mir dieser Kretin etwas von den philosophischen Analysen eines ge-

tauften Juden ... Ich kippte einen noch schärferen Brandy, schloß die Augen und versuchte es aufs neue:
»Spinoza hin, Spinoza her — was mich an Ihrem Land fasziniert, ist seine gesunde, freimütige, von keinen Hemmungen beeinträchtigte Lebensart. Wenn ich richtig informiert bin, gibt es sogar hier, mitten in Amsterdam, ein ganzes Viertel, von dem jedermann weiß, daß es der öffentlichen Prostitution vorbehalten ist?«
Meine Gattin hatte sich herangepirscht und nickte mir aufmunternd zu.
»Ach«, lächelte der Erkenntnistheoretiker. »Sie meinen offenbar ... hehehe ... Sie meinen das Viertel, wo die Damen in den Fenstern sitzen!«
»Wie bitte? In den Fenstern?«
»Ganz richtig. Ein solches Viertel gibt es bei uns.«
»Tatsächlich? Und wo?!«
»Hier in Amsterdam. Die Touristen strömen scharenweise hin.«
In den Augen meiner Gattin flammten zornige Pünktchen, die soviel bedeuteten wie: ›Siehst du! Alles strömt, nur wir sitzen noch hier ...‹
»Um die Wahrheit zu sagen«, fuhr der Auskunftgeber fort, »tolerieren wir dieses Viertel überhaupt nur der Touristen wegen. An sich ist es eine Kulturschande. Tag und Nacht stehen die Fremden mit ihren Photoapparaten vor den Fenstern und knipsen drauflos, als ob sie im Zoo wären. Einfach abscheulich!«
»Abscheulich«, wiederholte ich. »Ich kann mir das sehr gut vorstellen. Die gierigen Gesichter und das Klicken der Kameras ... die ganze Straße ist voll davon ... die ganze ... wie hieß die Straße doch gleich?«
»Straße? Das spielt sich nicht auf der Straße ab. Wenn die Herren Touristen genug geknipst haben, verschwinden sie

in den Häusern und feilschen mit den armen Mädchen stundenlang um die Taxe. Es ist wirklich degoutant!«

»Degoutant ist gar kein Ausdruck.« Ich biß die Zähne zusammen, um meine Erbitterung nicht merken zu lassen. Die weithin sichtbare Depression, in der ich mich jetzt befand, rechtfertigte unsern baldigen Aufbruch.

Unsre Strategie stand fest. Wir würden die Stadt durchkämmen, würden aus dem östlichen Zipfel nach Norden vorstoßen, dann die Querstraßen in westlicher Richtung durchstreifen und uns schließlich so lange südwärts halten, bis wir irgendwo auf ein rotes Licht stießen. Früher oder später *mußten* wir eines finden.

Wir mußten nicht, und wir fanden keines.

Gegen zwei Uhr nachts hielten wir erschöpft Rast, ohne eine einzige lebende Prostituierte gesehen zu haben. Da und dort hatte zwar ein rotes Licht aufgeblinkt, aber das war dann immer eine Verkehrsampel. Ein Nachtapotheker, den ich aus tiefem Schlaf geweckt hatte, um ihn in ein Gespräch über den »ältesten Beruf der Welt« zu verwickeln, gab mir höflich zu verstehen, daß das Ackerbauministerium nachts geschlossen sei. Niedergeschlagen und hoffnungslos setzten wir unsern Weg fort. Um 3 Uhr 30 hatten wir erst ein Fünftel der Stadtfläche bewältigt. Die Straßen standen leer. Amsterdam schlief.

Es war nach vier, als ich vor dem Konzertgebouw einen Polizisten stehen sah. Jetzt war mir alles egal. Mit letzter Kraft stolperte ich auf ihn zu, hielt mich an seinem Uniformkragen fest und keuchte:

»Wo sind die Huren?«

»Die zweite Brücke hinter dem Dom«, antwortete der Hüter des Gesetzes bereitwillig. »Kanalstraat.«

Dieses, geneigter Leser, ist also die Adresse. Manchmal lohnt es sich, ein überlanges Buchkapitel zu Ende zu lesen.

Ein Parkplatz für Ameisen-Farmer

Handelnd von unsrer älteren Schwester jenseits des Ozeans, die uns so großzügig unterstützt und die wir trotzdem nicht hassen. — Wiedersehen mit Onkel Harry. — Macht nichts, alles ist versichert. — Wie ich zum General befördert wurde. — Ein Konsulat ist kein Eigenheim. — Ich versuche, einen Gebrauchtwagen zu kaufen, aber der Gebrauchtwagenhändler »Smiling Joe« vereitelt meinen Plan. — Beginn des Parkraum-Zeitalters. — Ich besuche Captain Bernie und schlachte ihn beinahe. — Amerika, die letzte Zufluchtsstätte der Kündigungs-Freiheit. — Benzin, Ameisen und Konzert-Flügel. — Über den (gelinde gesagt) labilen Seelenzustand des Amerikaners, mit zahlreichen Beispielen aus dem praktischen Leben. — Meine Zukunft als Mormone. — Ich brauche einen Agenten. — Keine Wege führen von Las Vegas nach New Orleans.

Wir verließen Europa, die knarrende Wiege der westlichen Kultur, und strebten unsrem letzten Reiseziel entgegen: Amerika.
Man kann ruhig sagen, daß zwischen den Vereinigten Staaten und Israel eine geradezu familiäre Bindung besteht. Jeder Israeli hat in Amerika mindestens je einen Onkel und eine Tante. Das ist der unerläßliche Befähigungsnachweis, den die israelische Regierung von ihren Bürgern verlangt. Er steht in einem gewissen Zusammenhang mit den Geldaufbringungen des »United Jewish Appeal«, der heutigen Form des Manna, das uns vor rund dreitausend Jahren in der Wüste genährt hat.
Das Verhältnis Israels zu Amerika weist auch noch andere Besonderheiten auf. Man muß es sogar als einzigartig bezeichnen, wenn man bedenkt, daß jeder halbwegs unabhängige Staat, der über ein Minimum an Selbstachtung verfügt, in seinem Verhältnis zu Amerika mit absoluter Sicherheit folgende Phasen durchmacht:

1. Die Phase des Ressentiments: »Alle rückständigen Länder bekommen Geld von Amerika, nur wir nicht. Was ist los? Sind wir vielleicht nicht rückständig genug?«
2. Die Phase des verletzten Stolzes, nachdem Amerika gezahlt hat: »Unerhört! Die halten uns wohl für Bettler?«
3. Die Phase der bitteren Enttäuschung, nachdem Amerika seine Finanzhilfe eingestellt hat: »Diese elenden Geldsäcke. Und geizig sind sie auch noch. Da sieht man's wieder!«

4. Die Phase der verächtlichen Ablehnung, nachdem Amerika seine Finanzhilfe wieder aufgenommen und sogar gesteigert hat: »Na wenn schon. Sie sollen sich nur ja nichts einbilden. Wer braucht sie überhaupt?« Das neu angefachte Ressentiment äußert sich zuerst in vereinzelten Überfällen auf amerikanische Touristen und schließlich in spontanen Massendemonstrationen. Die Schaufenster der Amerika-Häuser werden zertrümmert, die amerikanischen Büchereien gehen in Flammen auf.

Demgegenüber legen wir Israelis eine bemerkenswerte Zurückhaltung an den Tag. Nicht nur machen wir den Amerikanern keinen Vorwurf daraus, daß sie immer nur ans Geld denken — wir haben sogar eine Art nachsichtiger Sympathie für ihr sonderbares Bedürfnis, uns zu helfen und uns allerlei nützliche Dinge zu schicken, Nahrungsmittel und Konsumgüter und Maschinen und Geld und alles mögliche. Unsre Toleranz geht so weit, daß wir ihnen den Reichtum, den sie solcherart demonstrieren, nicht einmal übelnehmen. Wir drücken ein Auge zu und gehen über den Affront hinweg.

Nur wenn wir an ihre Schriftsteller denken, steigt uns die Galle hoch.

Ich halte es für meine Ehrenpflicht, die Weltöffentlichkeit hiermit auf die unglaublichen Erniedrigungen hinzuweisen, denen die amerikanischen Schriftsteller ausgesetzt sind. Wenn in Amerika gesprächsweise der Name eines angesehenen Autors fällt, so werden nicht etwa die literarischen Qualitäten seines Oeuvres hervorgehoben, nicht etwa seine geschliffene Sprache, seine meisterhafte Gestaltungskraft, seine Fabulierkunst. Nein, man weiß ihm kein höheres Lob als die Feststellung: »Er macht 500 000 Dollar im Jahr!« Was soll das? Ist das eine Art? Gehört es sich, einen Künstler so zu behandeln? Ihm eine halbe Million Dollar an den Kopf zu werfen, und Schluß?

»Der Mensch lebt nicht von Brot allein«, hat ein alter Diätfachmann schon in der Bibel festgestellt. An dem Rang, den ein Volk seiner Literatur einräumt, erweist sich seine Reife. Die Geschichte kennt zahllose Beispiele dafür, daß Völker, die ihren Schriftstellern den nötigen Respekt vorenthalten, unweigerlich zugrunde gehen. Man braucht sich nur an die Behandlung zu erinnern, die Sokrates seitens der Griechen erfuhr. Und was ist von ihnen übriggeblieben? Ruinen und Schmetterlinge.

Wie anders in Israel! Welch ein erquickender Kontrast! Wahrlich, man kann den hebräischen Dichter nur beneiden um die erhabene Rolle, die er in seinem Heimatland spielt. Kein schnöder Mammon wird ihm aufgezwungen, keine schäbigen materiellen Lockungen kommen an ihn heran, keine hübschen kleinen Villen und keine häßlichen großen Autos verstellen ihm den Blick. Niemand in Israel würde es wagen, einem Meister der Feder auch nur das geringste Interesse für so oberflächliche Dinge zu unterstellen. Ihm winken die wahren, die höchsten Güter des Lebens: Ruhm und Ehre!

Gewiß, wir fühlen uns der westlichen Kultur zugehörig. Aber in diesem einen Punkt, daran glauben wir und dazu sind wir fest entschlossen, werden unsere großen Freunde von jenseits des Ozeans niemals Einfluß auf uns gewinnen. Mag Amerika seine Schriftsteller mit Geld verwöhnen — wir in Israel verwöhnen sie mit Ehrerbietung. Das ist das richtige Wort. Der Teufel soll es holen.

Nach einem Flug, der fast ausschließlich aus Luftlöchern bestand und uns lebhaft an unsere Kanalüberquerung erinnerte, landeten wir in New York. Onkel Harry und Tante Trude erwarteten uns am Flughafen und fielen uns gerührt um den Hals.
»Wie war der Flug?« fragte Tante Trude.
»Frag mich nicht«, antwortete meine Frau. »Über dem Ozean sind wir in ein fürchterliches Unwetter geraten. Wir dachten schon, daß wir's nicht überleben.«
»Moment«, sagte Onkel Harry. »Habt ihr eine Lebensversicherung?«
»Ja.«
»Also. Wozu die Aufregung?«
Dazu muß man wissen, daß Onkel Harry, seit er die amerikanische Staatsbürgerschaft erworben hat, ein Musteramerikaner geworden ist und alles versichert, was sich irgend versichern läßt. Buchstäblich alles. Hier liegt das Geheimnis seines sicheren Auftretens, seiner inneren Spannkraft, seiner Vitalität. Er ist jetzt 59 Jahre alt, der Onkel Harry — aber wenn man ihn so sieht, mit seinem lebhaft gemusterten Sportjackett, seiner farbenfrohen Krawatte und seinem blitzenden Gebiß: man würde ihn höchstens für 65 halten.
»Wovor soll ich mich noch fürchten?« fragt Onkel Harry. »Ich habe eine Lebensversicherung auf 200 000 Dollar abgeschlossen, die alles einschließt: natürlichen Tod, gewaltsamen Tod, Tod durch Selbstmord, tödlichen Unfall, Wahnsinn, Entführung, Kerker. Also?«
Stolz führte er uns durch sein Häuschen in einem der uniformen Villen-Vororte New Yorks. Die Zentralheizung hatte ihn 15 000 Dollar gekostet, die Garage mit der Gleittüre, die sich automatisch öffnet und schließt, 5000 Dollar. Wieviel ihn die Möbel gekostet haben, weiß ich nicht mehr.

An den Wänden hingen ein paar alte niederländische Holzschnitte, sehr schöne Stücke aus der 2000-Dollar-Schule; sie waren auf 12 000 Dollar gegen die etwaige Entdeckung versichert, daß es sich um Fälschungen handelte. Auch die Bibliothek erfreute sich einer kostspieligen Versicherung gegen Feuer, Vergilbung, Stockflecke und Lektüre. Die Versicherung des atemraubenden Ausblicks vom Fenster bezog sich auf Erdbeben, Tornados und fliehende Büffelherden. Und die Vöglein im Garten konnten fröhlich zwitschern, weil sie wußten, daß sie gegen Rinderpest, Papageienkrankheit und Jagdfalken versichert waren.

»Meine Frau hab' ich auf 100 000 Dollar versichert«, flüsterte Onkel Harry mir ins Ohr. »Anders wär's nicht rentabel gewesen. Ich mußte ja schon 30 000 Dollar in die Scheidung von ihrem ersten Mann investieren . . .«

Sollten sich unter den geneigten Lesern dieses Buchs auch Kenner Amerikas (oder gar Amerikaner) befinden, dann ergeht an sie die höfliche Bitte, sich nicht darüber zu ärgern, daß die vorstehenden Mitteilungen in keiner Weise typisch für Amerika sind. Onkel Harry lebt in New York — und New York ist bekanntlich nicht Amerika. Immer wieder wurde uns der Unterschied zwischen Amerika und New York eingeschärft. Amerika: das ist die Inkarnation alles Guten und Schönen, alles Reinen und Edlen. New York hingegen ist ein wildgewordenes Stadt-Konglomerat unter jüdischer Oberhoheit. Und es läßt sich ja wirklich nicht leugnen, daß in New York mehr Juden leben als in ganz Israel. Es läßt sich nicht einmal leugnen, daß sie besser leben.

Diese unleugbare Tatsache hat der gesamten amerikani-

schen Judenschaft einen unleugbaren Stempel aufgedrückt. Die amerikanischen Juden können sich den hohen Lebensstandard, den sie ihren heroischen Brüdern in Israel voraushaben, nicht verzeihen — und suchen ihre Gewissensbisse dadurch zu betäuben, daß sie jeden israelischen Besucher mit Pomp und Gepränge empfangen, als hätte er soeben sämtliche arabischen Armeen in die Flucht geschlagen oder eigenhändig die Wüste fruchtbar gemacht. Noch im kleinsten Provinznest, dessen Einwohnerzahl kaum über die Million hinausgeht, werden dem Besucher aus Israel die höchsten Ehren zuteil.
Wenn er zum Beispiel Kishon heißt, schallt ihm sofort nach Verlassen des Flugzeugs aus mindestens vier Lautsprechern eine schnarrende Stimme entgegen: »Mr. Kitschen wird dringend gebeten, sich beim Informationsschalter einzufinden.« Daraufhin läßt Mr. Kitschen seine Frau auf das Gepäck warten und findet sich dringend beim Informationsschalter ein. Wer eilt ihm dort entgegen? Er hat keine Ahnung. Ein älterer Herr, den er noch nie im Leben gesehen hat, schließt ihn in die Arme und sagt mit einer feierlichen, von innerer Bewegung tremolierenden Stimme:
»Kishon? Kishon! Freitagabend sind Sie zum Dinner bei uns. Okay, General?«
»Okay«, lautet die Antwort. »Aber ich bin kein General. Ich bin Fähnrich der Reserve.«
Hiervon völlig ungerührt, stellt sich der ältere Herr als Vorsitzender der »Gesellschaft jüdischer Chorvereinigungen« vor, verstaut den Gast samt Gattin und Gepäck in seinem geräumigen Cadillac und startet stadtwärts. Unterwegs kichert er zufrieden in sich hinein, und es braucht einige Zeit, ehe der Gast die Ursache dieses permanenten Frohlockens entdeckt: der Wagen wird nämlich an jeder Ecke von fanatischen Zionistenführern angehalten, die aber

nicht zu Wort kommen, sondern mit der triumphal am Lenkrad erklingenden Mitteilung abgespeist werden: »Bedaure — für Freitagabend hab' schon ich eine Option auf den General!«

Die jüdische Einwohnerschaft bedenkt den Vorsitzenden mit mißgönnischen Blicken und bucht den Gast für nächsten Freitag. Auf die Frage: »Na, General? Wie gefällt Ihnen Amerika?« antwortet er wahrheitsgemäß: »Ich habe so etwas noch nie im Leben gesehn!« Im Hotel angekommen, winkt er der wogenden Menge seiner Bewunderer noch einmal zu, zieht sich in sein Zimmer zurück und hängt eine Tafel mit folgender Inschrift an die Türe:

»Alle Freitagabende ausverkauft. Einige Dienstage und Donnerstage noch verfügbar. Gesuche sind an den Adjutanten zu richten. Der General.«

Die Großzügigkeit unserer amerikanischen Vettern beschränkt sich nicht auf Dinner-Einladungen für Freitag abend. Sie öffnen überdies in der generösesten Weise ihre Brieftaschen, finanzieren die Aufnahme neuer Einwanderer in Israel samt den dazugehörigen Wohnbauprojekten, und achten sogar darauf, daß unsere diplomatischen Vertreter in Amerika würdig untergebracht werden, in repräsentativen Gebäuden mit eindrucksvollen Adressen. Daraus ergeben sich ungeahnte Komplikationen.

Werfen wir einen Blick auf das Israelische Konsulat in New York.

Von außen sieht das Haus nicht anders aus als die schmalen, vornehmen Privathäuser, die es umgeben. Nur vor dem Eingang steht ein lebensechter amerikanischer Polizeimann und knurrt »Hier wird nicht geparkt!« Ich antwortete in meinem klangvollsten Sabbat-Hebräisch: »Im Anfang schuf Gott den Himmel und die Erde.« Das leuchtete ihm ein, und er ließ mich parken.

Erhobenen Hauptes betrat ich das Gebäude und vermied im letzten Augenblick einen komplizierten Schienbeinbruch: gleich hinter der Eingangstüre stolperte ich über einige Kalkbottiche, die mir den Weg verstellten. Zum Glück fingen die Sandsäcke meinen Sturz auf.

Während ich nach dem Informationsbüro Ausschau hielt, erschien mein alter Freund Sulzbaum, der zweite Sekretär des Konsulats, vielleicht auch der dritte.

»Ich muß mich für dieses Durcheinander entschuldigen«, entschuldigte sich Sulzbaum. »Die Paßabteilung übersiedelt gerade ins Parterre, und wir müssen zwei Schlafzimmer neu für sie herrichten.«

Sulzbaums Worte warfen ein grelles Licht auf die Lage: ein gutherziger jüdischer Einwohner New Yorks hatte der israelischen Regierung sein Haus geschenkt, das sich zwar ganz vorzüglich für Wohnzwecke eignete, aber ohne jede Rücksicht auf spätere Verwendungsmöglichkeiten als Konsulat erbaut worden war.

»Wir leiden unter Raumschwierigkeiten«, gestand mir Sulzbaum auf dem Zickzackweg zur Paßabteilung. »Unser Stab wird ständig größer, und wir haben im ganzen Haus für keinen Angestellten mehr Platz, nicht einmal für einen Liliputaner. Die erste Beamtenschicht hat alle brauchbaren Zimmer und Hallen belegt. Für die Nachzügler blieben nur noch die Badezimmer und dergleichen. Ich selbst bin erst vor vierzehn Tagen hergekommen und wurde in einen eingebauten Wäscheschrank gestopft.«

Wir erwischten den Aufzug. Er bietet zwei hageren Personen Platz, und selbst das nur Sonntag, Dienstag und Donnerstag, wenn der Leiter des Informationsbüros sich in Washington aufhält. An den übrigen Tagen der Woche empfängt er im Aufzug seine Besucher.

Unterwegs zu dem für Paßfragen zuständigen Vizekonsul

stießen wir in regelmäßigen Abständen auf kleinere und größere Arbeitertrupps mit Äxten, Sägen, Eimern und Pinseln.
»Sie haben ununterbrochen zu tun«, erläuterte Sulzbaum. »Entweder müssen sie irgendwo die Wand zwischen zwei Kinderzimmern niederreißen oder in eine neue Wand eine Türe einbauen oder eine Toilette in eine Kochnische verwandeln oder umgekehrt. Der Sekretär unserer Devisenabteilung amtiert noch immer auf dem Dach und kann nur mit Strickleitern erreicht werden.«
Sulzbaum hielt vor dem Büro des Vizekonsuls an, hob den schweren roten Teppich und leerte in ein darunter verborgenes Abflußrohr mehrere Aschenbecher.
»Hier war nämlich früher eine Küche«, klärte er mich auf. »Bitte bücken Sie sich, sonst stoßen Sie mit dem Kopf gegen die Leitungsrohre.«
Dann lenkte er meine Aufmerksamkeit auf die zahlreichen Gemälde, die regellos über die Wände verteilt waren, um die hastig gelegten Telephon- und Lichtleitungen zu kaschieren.
Endlich fanden wir den Vizekonsul, in viele warme Decken verpackt und trotzdem fröstelnd. Die Klimaanlage seines Zimmers war größer als das Zimmer selbst, das in früheren Zeiten einem glücklichen Haushalt als Tiefkühlanlage gedient hatte.
»Ich kann heute nicht arbeiten«, sagte der Vizekonsul mit klappernden Zähnen. »Gehen Sie zu meinem Vertreter, eine Etage höher. Ich habe ihm gestern eine halbe Küche eingeräumt und erinnere mich deutlich, ein Detachement Mauer auf dem Wege dorthin gesehen zu haben.«
Damit sank er in seine Depression zurück, als ob etwas Schweres auf ihm gelastet hätte. Vielleicht war es der riesige Wasserspeicher über seinem Kopf.

Wir erklommen das nächste Stockwerk, wobei wir uns den Weg durch alle möglichen Kalk- und Zementbehälter, Stangen, Leitern und sonstige Baubehelfe freiholzen mußten, und fragten einen emsig werkenden Arbeitsmann nach dem Stellvertreter des Vizekonsuls.
»Er muß hier irgendwo in der Nähe sein«, brüllte der Befragte durch das Getöse einer soeben angelaufenen Maschine. »Machen Sie, daß Sie wegkommen. In einer Minute sprengen wir den Tunnel zum Halbstock.«
Wir rannten, was uns die Füße trugen, hantelten uns am Treppengeländer hinab und nahmen Deckung hinter einer noch unvermörtelten Wand. Plötzlich glaubten wir erstickte Rufe zu hören.
»Um Himmels willen!« stöhnte Sulzbaum. »Da haben sie schon wieder jemanden eingemauert.«
Wie er mir anschließend erzählte, hatte man vor einigen Monaten das Kellergewölbe neu parzelliert, um Raum für die israelische UNO-Delegation zu schaffen, und hatte bei dieser Gelegenheit hinter einer schon früher vermauerten Türe das Skelett des vermißten Kulturattachés gefunden, die Knochenhand noch um das Papiermesser gekrampft, mit dem er sich zur Außenwelt durchgraben wollte ... Wir verließen unsre Deckung, setzten in bestem »Sprung auf-Marsch«-Stil über eine Metallschneise, erreichten die Feuerleiter und turnten durchs Fenster ins Informationsbüro. Dort wartete ein älterer, sichtlich wohlsituierter Herr im Sabbat-Gewande. Seine Augen leuchteten auf, als er uns sah. Er war Besitzer eines kleinen Hauses, das er der israelischen Regierung schenken wollte.
»Sie haben Glück«, sagte Sulzbaum. »Das fällt in meine Kompetenz. Bitte folgen Sie mir.«
Der alte Herr verließ mit Sulzbaum das Zimmer. Man hat ihn nie wieder gesehen.

Es wird dem geneigten Leser aufgefallen sein, daß bisher ausschließlich von Juden die Rede war, und er wird sich vielleicht fragen, ob es denn in Amerika gar keine Nichtjuden gibt. Nun, gegen Statistiken soll man nicht ankämpfen. Es gibt welche. Aber die verschiedenen Produkte des amerikanischen Schmelztiegel-Prozesses sind voneinander kaum zu unterscheiden. Der eine heißt Abraham nach seinem biblischen Vorvater, der andre nach Lincoln — und beide fahren den gleichen feuerroten Cadillac. Denn nur auf diesen kommt es an.

Autos ... Autos ... Autos ...

Ich spreche aus der Erfahrung einer nicht unbeträchtlichen Kilometerzahl auf den amerikanischen Autostraßen: das Auto ist für den Amerikaner kein Verkehrsmittel, sondern eine fixe Idee. Zuerst hatten wir den Eindruck, daß buchstäblich jeder Amerikaner ein Auto besäße, aber das stimmt natürlich nicht. Jeder Amerikaner hat mindestens zwei Autos: eines für sich, ein erstes andres für seine Frau und ein zweites andres für die Kinder, die Kleinchen, die »kids«. Ausmaße und Herstellungsjahr des Wagens bestimmen die soziale Position seines Eigentümers, seine Kreditfähigkeit, seine Heiratsaussichten, seinen Klub und die Spitalsrechnung.

Ein Amerikaner ohne Auto ist wie ein Pfau ohne Federn. Oder wie Federn ohne Pfau. Mit anderen Worten: einen Amerikaner ohne Auto gibt es nicht.

Es kam, wie es kommen mußte. Eines katastrophalen Morgens entschloß ich mich, mir eine soziale Gebraucht-Position anzuschaffen und ging zu einem Gebrauchtwagenhändler namens »Smiling Joe« (was mit »Lächelnder Josef« durchaus unzureichend übersetzt wäre). Smiling Joe nahm in den Zeitungen täglich einige Quadratkilometer Inseratenraum in Anspruch, auf denen er seine sechshundert Gebrauchtwagen begeistert anpries. Er war ein kräftiger, gutgelaunter, temperamentvoller junger Mann, und als er hörte, daß ich aus Israel kam, kannte seine Begeisterung keine Grenzen. Er selbst, wie er ausdrücklich betonte, war zwar kein Jude, aber er hatte einen Freund, der Finkelstein oder so ähnlich hieß, und das genügte.

Smiling Joe zeigte mir persönlich seine zwanzig Gebrauchtwagen und pries jeden einzelnen von ihnen begeistert an. Als ich mich nach den restlichen 580 erkundigte, raunte er mir vertraulich zu, daß sie für prominente Gäste aus dem Nahen Osten — also zum Beispiel für mich oder König Ibn Saud — auf einem Geheimgelände bereitgehalten würden.

»Es ist nur fünf Minuten von hier«, sagte Smiling Joe. »Fahren wir los.« Und er lud mich in seinen eigenen Wagen ein.

Nach ungefähr eineinhalb Stunden flotter Fahrt fragte ich ihn, was eigentlich mit den fünf Minuten los wäre. Smiling Joe gestand mir unter dröhnendem Gelächter, daß er dabei an ein Überschallflugzeug gedacht hätte. Aber jetzt würde es wirklich nur noch zehn Minuten dauern.

Dämmerung sank herab. Die Wüste, die wir durchfuhren, zeigte alle Merkmale subtropischer Vegetation. Immerhin waren wir noch vor Einbruch der völligen Dunkelheit in Arizona. Auf dem geheimen Gelände standen, leicht überschaubar, neun Gebrauchtwagen.

»Ist das alles?« fragte ich. »Wo sind die anderen?«

»Verkauft«, grinste Smiling Joe. »Die Dinger gehen ab wie die warmen Semmeln. Am Morgen hatte ich noch fünfhundert Wagen hier. Wenn ich's mir recht überlege, bin ich gar nicht scharf drauf, den Rest zu verkaufen. Ich kann mit dem Geld sowieso nichts anfangen.«

Unwillkürlich drängte sich die Frage auf meine Lippen, warum er mich dann überhaupt hergeführt habe.
Smiling Joe grinste abermals. Geld bedeute ihm nichts, meinte er. Viel wichtiger sei der gute Ruf »Fairneß und Ehrlichkeit« lautete die Devise.
Ich hatte währenddessen den rudimentären Wagenpark besichtigt und zu meiner Freude einen verhältnismäßig gut erhaltenen Chevrolet entdeckt, der laut kreidiger Aufschrift auf der Windschutzscheibe nur 299.99 Dollar kosten sollte.
»Der Wagen gefällt mir«, sagte ich. »Den will ich haben.«
»Junge, Junge!« Smiling Joe hieb mir anerkennend seine Pranke auf die Schulter. »Das nenne ich ein sicheres Auge! Schaut hin — und hat auch schon mein bestes Stück! Der Wagen ist zwar verkauft, an den Gouverneur dieses aufstrebenden Staates — aber wenn ich Sie damit glücklich machen kann, dann blättern Sie vierhundert Dollar auf den Tisch des Hauses und der Chevy gehört Ihnen.«
»Wieso vierhundert? Da steht doch ganz deutlich 299.99?«
»Listenpreis, mein Junge. Ohne Räder. Wenn Sie für 299.99 einen Wagen ohne Räder kaufen wollen — ich habe nichts dagegen. Aber vergessen Sie nicht, daß Chevrolet eine der teuersten Automarken Amerikas ist.«
Ich zeigte wortlos auf die Neonlicht-Reklame am Eingang, die in großen Blinklichtern besagte: »Chevrolet — der preisgünstigste Wagen Amerikas!«
Smiling Joe büßte weder seine Ruhe noch sein Grinsen ein:
»Wer kümmert sich heute noch um Neonlichter? Längst überholt!«
Ich hatte den Wagen mittlerweile von allen Seiten geprüft und fand ihn immer mehr nach meinem Geschmack.
»Okay«, sagte ich. »Ich nehme ihn.«
»Großartig!« Smiling Joe schüttelte begeistert meine Hände.

»Sie sind ein Glückspilz! Machen Sie, daß sie 'rauskommen, bevor ich's mir überlege! Sie werden diesen Wagen mit fünfhundert Dollar Profit verkaufen.«
»Selber Glückspilz«, gab ich zurück. »Wo sind die Schlüssel?«
»Schon was von automatischer Kupplung gehört?« grinste Smiling Joe, während er mir die Schlüssel einhändigte. »Und das Lenkrad können Sie mit dem Finger ganz herumdrehen.«
Ich versuchte das Lenkrad mit dem Finger ganz herumzudrehen, hörte aber sofort auf, als es in zwei Hälften zu zerbrechen drohte.
»Sehen Sie«, triumphierte Smiling Joe. »Es rührt sich nicht. Solide wie Stahl. Und erst der Zehnzylindermotor! Junge, Junge!«
Ich öffnete die Haube und zählte knappe sechs Zylinder.
»Eben!« Smiling Joe überschlug sich vor Begeisterung. »Was das nur für eine Benzinersparnis bedeutet! Und die automatische Vorzündung!«
Ich demonstrierte ihm mühelos, daß die Vorzündung in keiner Weise automatisch war, sondern mühsam mit der Hand bedient werden mußte. Smiling Joe beglückwünschte mich aufs neue zu meinem Fang. Die automatische Vorzündung sei ohnehin nichts wert gewesen und werde zu den neuesten Modellen nicht mehr geliefert.
»Glauben Sie, ich würde Ihnen einen schlechten Wagen verkaufen, he? Ich Ihnen? Ein Jude dem andern? Sie werden sich in diesem Wagen wie ein König vorkommen! Und wenn Sie Musik hören wollen, brauchen Sie nur das Radio anzudrehen.«
Smiling Joe zeigte mir den Knopf und drehte ihn an. Sofort setzten sich die Scheibenwischer in Betrieb.
»Wer zum Teufel braucht ein Radio?« fragte Smiling Joe

beseligt. »Was bekommt man da schon zu hören? Den ganzen Tag lang Schallplatten. Vollkommen überflüssig. Viel wichtiger ist, daß Sie einen phantastischen Führersitz haben, den Sie sogar verschieben können.«
Ich versuchte den Sitz zu verschieben — und er verschob sich. Ich versuchte es noch einmal — und er verschob sich wieder. Warum hatte Smiling Joe dann aber gesagt, daß sich der Sitz verschieben ließ? Das war verdächtig. Ich nahm eine gründliche Untersuchung des Wagens vor — er war so gut wie neu.
»Er ist so gut wie neu«, grinste Smiling Joe. »Er hat nicht mehr drauf als 17 000 Meilen.«
Das konnte nicht wahr sein. Ich warf einen Blick auf den Zähler. Er zeigte 3000 Meilen. Mein Mißtrauen wuchs:
»Wieso zeigt er nur 3000?«
»Leicht zu erklären. Der frühere Besitzer war ein Leuchtturmwärter, der immer nur um seinen Leuchtturm herumfahren konnte.«
Jetzt hatte ich genug. Wenn ich Smiling Joes Verkaufstechnik richtig interpretierte, mußte der Wagen spätestens nach hundert Metern auseinanderfallen.
»Schön«, sagte ich. »Dann werden wir leider kein Geschäft miteinander machen. Ich lasse mich nicht zum Narren halten.«
»Ganz wie Sie wünschen.«
Zum ersten Mal verlor sich das Grinsen aus Smiling Joes Gesicht.
»Wie komme ich nach Hause?«
»Per Auto?«
»Nein. Zu Fuß.«
»Immer nach Osten, mein Freund, immer nach Osten . . .«
Ich überlegte: wenn Smiling Joe »Osten« sagte, wäre »Westen« vermutlich das Richtige. Aber da man sich bei ihm

nicht einmal auf das Gegenteil seiner Aussagen verlassen kann, ging ich wohl am besten nach Süden.
Auf meinem Weg in nördlicher Richtung kam ich durch fruchtbares Ackerland, durch schattige Wälder mit Bächen und Wasserfällen — und trotzdem nach Hause. Unser Nachbar stützte mich die Stiegen hinauf und informierte mich (leider zu spät), daß man in Amerika zum Ankauf eines Gebrauchtwagens unbedingt mit dem eigenen Wagen vorfahren müsse. Ich erzählte ihm, was ich mit Smiling Joe erlebt hatte.
»Ja, ja«, sagte mein Nachbar nicht ohne Bewunderung. »Smiling Joe ist ein wahres Verkaufsgenie. Der verkauft noch einmal Kühlschränke an Eskimos!«
Ich pries mich glücklich, daß ich kein Eskimo war, und brach erschöpft zusammen.
Auf den Ankauf eines Gebrauchtwagens habe ich für die Dauer meines Aufenthalts in Amerika verzichtet. Statt dessen streckte ich vorsichtige Fühler nach Onkel Harry aus: ob er mir gelegentlich seinen Wagen borgen würde? Zu meiner Überraschung war Onkel Harry sofort einverstanden:
»Selbstverständlich«, sagte er. »Er ist ja versichert.«

Im übrigen kann ich mir besser als je zuvor die erste Begegnung ausmalen, die Kolumbus nach seiner Landung in Amerika mit einem Eingeborenen hatte:
»Sei gegrüßt, Big Chief«, sagte Kolumbus. »Vor dir steht der Gesandte des glorreichen Throns von Spanien.«
»Bedaure«, sagte der Eingeborene. »Dienstag und Donnerstag darf nur auf der pazifischen Seite geparkt werden.«

Eines Morgens erwachte ich mit Zahnschmerzen. Mit ganz gewöhnlichen, ungemein schmerzhaften Zahnschmerzen. Irgend etwas in meinem linken Unterkiefer war nicht in Ordnung, schwoll an und schmerzte.

Ich fragte Tante Trude, ob es hier in der Gegend einen guten Zahnarzt gäbe. Tante Trude kannte ihrer drei, alle in nächster Nähe, was in New York ungefähr soviel bedeutet wie 25 Kilometer Luftlinie.

Ich wollte wissen, welcher von den drei Zahnärzten der beste sei. Tante Trude sann lange vor sich hin:

»Das hängt davon ab. Der erste hat seine Ordination in der Wall Street. Dort wimmelt es von Zeitungsreportern, und wenn jemand einen Parkplatz findet, wird er sofort von ihnen interviewt. Ich weiß nicht, ob du das mit deinen Zahnschmerzen riskieren willst. Der zweite hat eine direkte Autobusverbindung von seinem Haus zum nächsten bewachten Parkplatz, aber er ist kein sehr angenehmer Arzt. Ich würde dir zu Dr. Blumenfeld raten. Er wohnt in einem ähnlichen Cottage-Viertel wie wir und hebt in seinen Annoncen immer hervor, daß man dort manchmal in einer nicht allzu weit entfernten Seitenstraße Platz zum Parken findet.«

Das war entscheidend. Und mein Unterkiefer war um diese Zeit schon so angeschwollen, daß es keine Zeit mehr zu verlieren gab. Ich nahm Onkel Harrys Wagen und sauste los. Es dauerte nicht lange, bis ich Dr. Blumenfelds Haus gefunden hatte. Auch die im Inserat angekündigten Seitenstraßen waren da, nicht aber der im Inserat angekündigte Platz zum Parken. An beiden Straßenseiten standen die geparkten Wagen so dicht hintereinander, daß nicht einmal die berühmte Stecknadel hätte zu Boden fallen können; sie wäre auf den fugenlos aneinandergereihten Stoßstangen liegengeblieben.

12*

Eine Zeitlang kreuzte ich durch die Gegend wie ein von seiner Flugbahn abgekommener Satellit.
Dann geschah ein Wunder. Ich sah es mit meinen eigenen Augen. Das heißt: ich sah ein Wunder im Anfangsstadium. Ich sah einen amerikanischen Bürger, der sich an der Türe seines geparkten Wagens zu schaffen machte.
Schon hielt ich an seiner Seite:
»Fahren Sie weg?«
»Ob ich — was? Ob ich wegfahre?« Er wollte seinen Ohren nicht trauen. »Herr, ich habe auf diesen Parkplatz zwei Jahre lang gewartet und habe ihn erst im vorigen Herbst erobert. Damals nach dem Hurrikan, der alle hier geparkten Wagen weggefegt hat . . .«
Jetzt fiel mir auf, daß das Dach seines Wagens, genau wie das der anderen, mit einer dicken Staubschicht bedeckt war. Da gab es also nichts zu hoffen.
Wo ich denn möglicherweise einen Parkplatz finden könnte, fragte ich.
Die Antwort, nach längerem Nachdenken und Hinterkopfkratzen erteilt, verhieß wenig Gutes:
»Einen Parkplatz finden . . . Sie meinen: einen *freien* Parkplatz? In Texas soll es angeblich noch einige geben. Vergessen Sie nicht, daß sich die Zahl der Autos in Amerika jedes Jahr um ungefähr fünfzehn Millionen vermehrt. Und die Länge der Autos jedes Jahr um ungefähr zehn Inch. Der letzte Gallup-Poll hat ergeben, daß dreiundachtzig Prozent der Bevölkerung das Parkproblem für die gefährlichste Bedrohung ihres Lebens halten. Nur elf Prozent haben Angst vor dem Atomkrieg.«
Mit diesen Worten zog er einen Roller aus dem Fond seines Wagens, stieg mit einem Fuß darauf und ließ den Wagen unverschlossen stehen.
»He! Sie haben nicht abgesperrt!« rief ich ihm nach.

»Wozu?« rief er zurück. »Niemand stiehlt mehr ein Auto. Wo sollte er es denn parken?«
Mein Zahn trieb mich weiter. Aber es war ganz offenbar sinnlos. Wohin man blickte, stand geparktes Auto an geparktem Auto, und wo kein Auto stand, stand ein Pfosten mit einer Tafel, und auf der Tafel stand die Inschrift: »Von Anfang Juli bis Ende Juni Parken verboten«, oder »Parkverbot von 0 bis 24 Uhr, Sonn- und Feiertag von 24 bis 0 Uhr.« War aber irgendwo kein Wagen und keine Tafel zu sehen, so stand dort todsicher ein Feuerhydrant, dem man in Amerika unter Androhung schwerster Geld- und Freiheitsstrafen nicht in die Nähe kommen darf, nicht einmal wenn es brennt.
In einer schon etwas weiter entfernten Straße fand ich eine Affiche, aus der hervorging, daß hier am 7. August zwischen 3 und 4 Uhr nachmittags geparkt werden durfte. Ich erwog ernsthaft, so lange zu warten, aber mein Zahn war dagegen.
Endlich schien mir das Glück zu lächeln. Vor einem großen Gebäude sah ich einen leeren, deutlich für Parkzwecke reservierten Raum mit der deutlichen Aufschrift: »Kostenloses Parken für unsere Kunden.« Rasch wie der Blitz hatte ich meinen Wagen abgestellt, stieg aus, fand mich im nächsten Augenblick von hinten an beiden Schultern gepackt und im übernächsten auf einen Stuhl gedrückt, der im Büro einer Versicherungsgesellschaft stand.
»Guten Morgen, mein Herr«, begrüßte mich der Mann hinterm Schreibtisch. »Wie lange?«
»Ungefähr eineinhalb Stunden.«
Der Versicherungsagent blätterte in seiner Tarifliste:
»Das Minimum für neunzig Minuten ist eine Feuer- und Hagelversicherung auf 10 000 Dollar.«
Ich erklärte ihm, daß der Wagen bereits versichert war.

»Das sagen alle. Darauf können wir keine Rücksicht nehmen.«
»Und ich kann keine Versicherung auf 10 000 Dollar nehmen.«
»Dann müssen Sie eben wegfahren.«
»Dann werde ich eben wegfahren.«
Gegenüber dem Versicherungsgebäude befand sich ein Kino. Hinter dem Kino befand sich ein großer Parkplatz. Auf dem großen Parkplatz befanden sich viele große Wagen. Vor den Wagen befanden sich Parkuhren, die sechzig Minuten Maximalzeit vorschrieben. Aus dem Kino kamen fast pausenlos Leute herausgeeilt, warfen Münzen in die Parkuhren und eilten zurück.
Bei Einbruch der Dunkelheit ging mir das Benzin aus. Ich fuhr zu einer Tankstation, und während der Tank gefüllt wurde, fragte ich nach der Toilette. Dort erkletterte ich das Fenster, durchkroch eine Art Schacht, gelangte ins Magazin, stahl mich durch die Hintertüre hinaus und befand mich in einem engen, dunklen, nach Leder riechenden Raum. Es war mein Wagen, den die erfahrenen Tankstellenwärter dort abgestellt hatten.
Ihr hämisches Grinsen reizte meinen tief verwundeten orientalischen Stolz.
»Was können Sie sonst noch mit dem Wagen machen?« fragte ich. »Lassen Sie hören!«
Das Offert kam prompt und sachlich:
»Ölwechsel — zehn Minuten. Überholen — eine halbe Stunde. Lackieren — eine Stunde.«
»Lackieren Sie ihn grasgrün und wechseln Sie das Öl.«
Ungesäumt startete ich in Richtung Blumenfeld. Ich schlug ein scharfes Tempo an, denn der Zettel, den man mir an der Tankstelle in die Hand gedrückt hatte, trug folgenden eindeutig präzisierten Text: »Wenn Sie nicht pünktlich

nach der vereinbarten Zeit von 1,10 h (das war handschriftlich eingetragen) Ihren Wagen holen, wird er in unserem eigens hierfür konstruierten Parkofen verbrannt.«

Da ich schon lange nicht trainiert hatte, geriet ich leider sehr bald außer Atem. Ich bestieg einen Bus und nahm an der Endstation ein Taxi zu Dr. Blumenfeld. Als ich dort anlangte, waren 42 Minuten vergangen, so daß ich sofort umkehren mußte. Ich kam gerade zurecht, wie die Tankstellenwärter sich anschickten, die erste Kanne Kerosin über meinen grasgrünen Wagen zu schütten.

Jetzt gab es nur noch eine Möglichkeit, und ich war entschlossen, sie auszunützen: ich fuhr mit meinem eigenen Wagen vor Dr. Blumenfelds Haus und ließ ihn krachend auf einen Laternenpfahl aufprallen. Erlöst entstieg ich dem Blechschaden und begab mich in die Ordination.

Gerade als Dr. Blumenfeld mit der Behandlung fertig war, ertönte von unten zorniges Hupen. Durchs Fenster sah ich, daß es von einem Wagen kam, der dicht hinter dem meinen stand. Ich sauste hinunter. Ein andrer von Dr. Blumenfelds Patienten empfing mich zornschnaubend:

»Was bilden Sie sich eigentlich ein, Sie? Glauben Sie, diese Laterne gehört nur Ihnen?«

Ich mußte ihm recht geben. Selbst in Amerika können sich nur die Reichsten der Reichen den Luxus einer eigenen Parklaterne leisten.

Wie man aus den amerikanischen Filmen zur Genüge weiß, sind alle jungen Amerikaner hochgewachsen und wohlproportioniert. Diese begrüßenswerte Entwicklung ist ohne Zweifel dem Auto zu danken. Die Väter und Großväter der heutigen Amerikaner waren jämmerliche Schwächlinge mit weichen Muskeln, die gerade noch ausreichten, um den Anforderungen des Reitens, des Überlandverkehrs im Pla-

chenwagen und später der Untergrundbahn gewachsen zu sein. Heute, da jedermann sein eigenes Auto besitzt, haben die Amerikaner wieder das Marschieren gelernt und legen zwischen Parkplatz und Arbeitsstelle täglich mindestens eine Meile zu Fuß zurück. Die Muskeln entwickeln sich normal, die Blutzirkulation wird gefördert, der Rücken wird straff, der Gang federnd. Eine neue, gesunde, sportgestählte Generation wächst heran.
Als ich die Familie Rosenblatt besuchen wollte, die in Forest Hills lebt, sagte Tante Trude:
»Nimm den Wagen. Ein kleiner Spaziergang wird dir gut tun.«

Auch die Einladung zu den Rosenblatts nahm sportlichen Charakter an. Wir hatten das liebenswürdige Ehepaar im Brooklyn-Zoo getroffen, dessen Besuch, wie sie uns gestanden, ein alter Traum von ihnen war. Aber sie konnten ihn erst jetzt verwirklichen, weil ihr Sohn Bernie seine Ferien in einem Sommer-Camp verbrachte. Bernie, so berichteten sie weiter, interessierte sich nicht für den Zoo und überhaupt für nichts außer Baseball. Rosenblatt senior interessierte sich gleichfalls für Baseball, aber nur von seinem Lehnsessel aus, beim Fernsehen. Rosenblatt junior hingegen war der Captain seiner Baseballmannschaft, die zu den besten der Kindergarten-Liga gehörte. An dieser Stelle ihres Berichts luden uns die Rosenblatts für Freitag abend zum Dinner ein. Offenbar hatte unser verständnisvolles Zuhören einen günstigen Eindruck auf sie gemacht.
In Amerika wird man nicht so mirnichts dirnichts zum Essen eingeladen, es sei denn aus Geschäftsgründen. Mehrere Stadien — beginnend mit der nichtssagenden Phrase: »Lassen Sie uns einmal Lunch zusammen haben« — müssen

durchlaufen werden, ehe es zu einer wirklichen Einladung kommt. Und selbst dann wird es meist nur eine Einladung ins Restaurant. Aber zu Hause, im Familienkreis, und am Freitag abend: das ist das Wahre. Noch dazu war es der Freitag, an dem Captain Bernie aus dem Sommer-Camp zurückkam.
Leider begann Mr. Rosenblatt jeden Satz seiner ohnedies eintönigen Konversation mit den Worten »Wir vom Mittelstand«, und leider sprach er ununterbrochen von seinem Sohn, wobei er jede einzelne der zahllosen hervorragenden Eigenschaften des jungen Tausendsassas mit Photos belegte, auf denen man Junior von allen Seiten bewundern konnte, wie er gerade den Baseballschläger schwang oder einen andern Beweis seiner enormen physischen Leistungsfähigkeit lieferte.
Das alles hatte unsre Kinderliebe auf eine Probe gestellt, der sich die beste Ehefrau von allen kein zweites Mal aussetzen wollte. Und da in unsrer Ehe immer das geschieht, worauf wir uns einigen, einigten wir uns darauf, daß ich allein zu den Rosenblatts gehen und meine Frau mit einer kleinen Grippe entschuldigen würde.
Die Rosenblatts bedauerten, daß ich ohne meine Gattin gekommen war, und wünschten ihr baldige Besserung. Sodann diskutierten wir die Probleme des Mittelstandes und warteten auf Bernie. Um mir die Wartezeit zu verkürzen, breitete Mrs. Rosenblatt eine Unzahl von Photographien vor mir aus, die ich der Reihe nach und sehr genau betrachten mußte.
Während ich noch damit beschäftigt war, betrat ein etwas dicklicher, sommersprossiger Knabe das Zimmer: Bernie selbst. Trotzdem bestand Mrs. Rosenblatt darauf, daß ich die Besichtigung der Photos beendete. Sie wären viel ähnlicher, sagte sie.

Als ich fertig war, erhob Mr. Rosenblatt ein strahlendes Vatergesicht zu seinem neben ihm stehenden Sohn:
»Bernie, begrüße unsern Gast!«
»Hey«, sagte Bernie. »Gehen Sie mit dem Messer auf mich los!«
»Wie bitte?« Ich wandte mich ungläubig an die Herren Eltern. »Was will der Junge von mir?«
Beide Rosenblatts platzten vor Stolz:
»Folgen Sie ihm nur ruhig«, ermunterte mich der Papa. »Gehen Sie mit dem Messer auf ihn los!«
»Aber warum? Er hat mir doch nichts getan?«
Jetzt schaltete sich Mrs. Rosenblatt ein: Bernie hätte im Camp einen Judo-Kurs absolviert und könnte jeden Erwachsenen, der ihn anzugreifen wagte, sofort kampfunfähig machen. Und ich sollte ihm doch den kleinen Spaß nicht verderben.
Ich berief mich nachdrücklich auf meinen vollkommenen Mangel an Erfahrung in solchen Dingen. Es sei nicht meine Art, sagte ich, auf Kinder mit dem Messer loszugehen, besonders im Ausland.
Da verlor Mr. Rosenblatt die Geduld. Begierig, das Schauspiel beginnen und seinen Sohn triumphieren zu sehen, ergriff er von einem nahen Teller ein Obstmesser, drückte es mir in die Hand und schob mich vor Bernie hin.
Was jetzt geschah, war fürchterlich. Der lebfrische junge Rosenblatt trat mich sofort ins linke Schienbein, und zwar mit solcher Wucht, daß ich mich vor Schmerzen krümmte. Als ich aber sah, daß er sich auch noch über mein rechtes Schienbein hermachen wollte, wurde es mir zu bunt. Mein Gesicht verzerrte sich. Besinnungslos vor Wut stürzte ich auf ihn los.
Bernie stieß einen spitzen Angstschrei aus, machte kehrt und entfloh. Ich sauste ihm mit geschwungenem Messer

nach. Jetzt wollte ich es ganz genau wissen. Hatte er von mir verlangt, mit dem Messer auf ihn loszugehen, oder hatte er es nicht verlangt?
Am Ende der Treppe erwischte ich ihn und hielt ihn fest, wie sehr er auch jaulte und strampelte. Aber gerade als ich das Messer ansetzte, um ihn zu schlachten, rutschte er aus dem Hemd und rannte weiter.
Mittlerweile kamen die besorgten Eltern schreiend die Treppe heruntergeeilt und fragten, was ich denn eigentlich täte?
»Ich gehe mit dem Messer auf ihn los«, antwortete ich. »Warum fragen Sie?«
Und das Messer immer noch in der Hand, jagte ich Bernie durch den Garten.
Er muß in diesen Minuten ein andrer Mensch geworden sein, obwohl ich ihn nicht mehr zu fassen bekam. Der Inhaber des nahe liegenden Friseurladens, ein ehemaliger Cowboy, fing mich mit dem Lasso, als ich dem schrill kreischenden Judo-Kämpfer über den Zaun nachsetzen wollte. Ich leistete keinen Widerstand und ließ mich entwaffnen. Auch nächstes Jahr gibt es ein Sommer-Camp, dachte ich, und Bernie kann noch lernen. Aber wenn mich nicht alles täuscht, liegt seine Zukunft weniger im Judo als im Langstreckenlauf.

Das sozialistische Lager verwendet hämische Anführungszeichen, wenn es vom »Paradies« Amerika spricht. Den Amerikanern selbst liegt nichts ferner. Sie fühlen sich in ihrem Land paradiesisch wohl. Und es geht ihnen ja auch wirklich großartig.
Damit meinen wir nicht so sehr den materiellen Wohlstand,

die Wirtschaftskonjunktur, die überladenen Buffets, die 17 Fernseh-Kanäle oder die 32 verschiedenen Fruchteis-Sorten, die von Mr. Howard Jones feilgeboten werden. Was wir meinen und was uns vor Neid erblassen läßt, ist ein höchst ungewöhnliches Privileg, das die amerikanischen Geschäftsleute genießen. Es steht ihnen nämlich das Recht zu, ihre Angestellten zu entlassen. Man denke: zu entlassen, zu kündigen, hinauszufeuern. Den Buchhalter, den Portier, den Abteilungsleiter, wen immer. Sie können ihn, bildlich gesprochen, die Stiegen hinunterwerfen. Sie sagen ganz einfach: »Hinaus!« — und draußen ist er.
Es ist kaum zu glauben. Es ist wie im Märchen. Der Boß ist in Amerika noch der Boß.
Wir Israelis sind in diesem Punkt besonders empfindlich. Bei uns gibt es kein Kündigungsproblem, denn wir sind ein sozialistisch regierter Staat. Unsre Regierungspartei ist eine Arbeiter-Partei. Unsere Fabriken werden von Arbeiter-Komitees geleitet, und wenn es zu Meinungsverschiedenheiten mit dem Boß kommt, wird ein Schiedsgericht eingesetzt. Das Schiedsgericht besteht aus drei Vertretern des Arbeiter-Komitees, zwei Gewerkschaftsvertretern und dem Boß als Beisitzer ohne Stimme. Die letzte in Israel erfolgte Kündigung wurde im Jahre 1952 registriert, als ein Zitruspacker namens Sprotzek den Besitzer der Plantage im Verlauf eines Wortwechsels halb totgeschlagen hatte. Das Schiedsgericht sprach sich zwar gegen die Entlassung Sprotzeks aus, wich dann aber vor einem persönlichen Machtwort des Ministerpräsidenten zurück. Seither ist nichts mehr dergleichen geschehen.
Was Wunder, daß wir die Amerikaner beneiden, die ihr elementares Recht auf Kündigung in der Unabhängigkeitserklärung von 1776 verankert haben!
Mein Onkel Harry zum Beispiel erschien eines Tages in

seiner Bürstenfabrik und wollte den Vorarbeiter sehen, sah ihn aber nicht, weil er nicht da war. Wo denn der Vorarbeiter wäre, fragte Onkel Harry einen der Bürstenmacher. Der Bürstenmacher konnte es ihm nicht sagen. Er fragte einen andern, der es ihm auch nicht sagen konnte. Schließlich fand er einen Arbeiter, der es ihm sagte.
»Boß«, sagte der Arbeiter, »der Vorarbeiter ist ein Bier trinken gegangen.«
»Okay«, sagte Onkel Harry. »Sie sind entlassen.«
Der Vorarbeiter war nämlich eine hochqualifizierte Kraft und schwer zu ersetzen. Irgend jemand aber mußte entlassen werden — das ist ein althergebrachter und sehr vernünftiger Brauch. Wir wissen aus zahlreichen historischen Filmen, daß der König regelmäßig den Boten köpfen läßt, der ihm die Nachricht von der Niederlage seiner Heere bringt. Diese psychologisch durchaus verständliche Reaktion degenerierte im Laufe der Zeit zum sogenannten Entlassungstrieb, der immer noch sein Gutes hat. Den vom Entlassungstrieb Bedrohten bleibt gar nichts andres übrig, als tüchtig zu sein. Sonst werden sie entlassen.
Daß diese Tüchtigkeit mitunter erschreckende Dimensionen annimmt, versteht sich von selbst.

Was sich nicht von selbst verstand, war die erste Frage jenes Tankstellenwärters, bei dem wir auf der Fahrt nach New Haven Benzin nahmen und der zweifellos die Schwergewichtsmeisterschaft in Verkaufstechnik gewonnen hatte. Seine erste Frage lautete:
»Brauchen Sie Ameisen?«
Es war, wie man zugeben wird, eine verwirrende Frage. So sehr wir diese kleinen emsigen Tierchen respektieren — wenn sie nicht gerade in unsere Küche eindringen, haben wir weiter keine Beziehung zu ihnen. Was sollten wir jetzt

und hier, auf einer Autostraße 64 Meilen nördlich von New York, mit Ameisen anfangen?
Infolgedessen beugte ich mich zu dem ruhig wartenden Benzinverschleißer vor und sagte:
»Entschuldigen Sie — ich verstehe nicht?«
»Ich hab' noch ein paar Schachteln übrig«, präzisierte er und spülte zum Zeichen seines guten Willens unsre Windschutzscheibe ab. »Ist jetzt groß in Mode. Jeder will eine Ameisenfarm haben. Riesenspaß für die ganze Familie. Besonders die Kinder sind verrückt danach. Schauen stundenlang durch den Glasdeckel, wie die Ameisen Straßen bauen. Oder Brücken. Oder Untergrundbahnen. Alles zusammen zwei Dollar. Ameisen gratis. In der Stadt zahlen Sie mindestens drei.«
»Danke«, antwortete ich, noch immer ein wenig verwirrt. »Im Augenblick brauche ich keine Ameisen. Ich bin nicht von hier, wissen Sie. Ich bin Ausländer. Nur zu Besuch.«
»Ausländer? Sofort!« Er schnalzte mit den Fingern, verschwand im Stationsladen und kam mit einem Dutzend überdimensionaler Faltkarten zurück, die er auf der Kühlerhaube vor uns ausbreitete.
»Dem Wagen fehlt Pflege«, bemerkte er nebenbei und begann mit einer Nylonbürste die Sitze zu säubern. »Bei mir bekommen Sie die schönsten Nylonbürsten. In allen Farben.«
»Vielen Dank. Mein Onkel ist in der Bürstenbranche.«
»Wir haben einen Onkel im Land? Den müssen wir mit einem netten kleinen Geschenk überraschen! Eine Blumenvase? Einen Lampenschirm? Eine Ziehharmonika? Rasierseife? Papagei?«
»So viel ist mir mein Onkel nicht wert. Ich mag ihn eigentlich nicht.«
»Ganz recht!« Um seine Zustimmung zu unterstreichen,

begann er mir mit einem Miniatur-Staubsauger über den Anzug zu fahren. »Man soll nie von seinen Verwandten abhängen. Hoffentlich wohnen Sie nicht bei ihm. Mein Wohnungsvermittlungsbüro —«
»Ich bin fast immer unterwegs.«
»Welche Zeitung wollen Sie abonnieren?«
»Keine.«
»Nehmen Sie Tanzunterricht!«
»Ich kann tanzen.«
»Ölaktien?«
»Davon verstehe ich nichts.«
»Also gut. Einsfünfzig.«
»Was?«
»Die Ameisenfarm.«
»Ich sagte Ihnen doch schon, daß ich derzeit keine Verwendung für Ameisen habe.«
»Ja aber — was wollen Sie kaufen?« Er seufzte, zog einen Kamm hervor und frisierte mich kunstgerecht. Mir fiel ein, daß ich doch nur zum Tanken hierhergekommen war und daß ich dieses unwiderstehliche Verkaufsgenie nun endlich loswerden müßte.
»Eigentlich«, sagte ich unentschlossen vor mich hin, »trage ich mich mit dem Gedanken, einen Konzertflügel zu kaufen . . .«
Ein Leuchten ging über des Tankwarts Gesicht. Er verschwand und war in Sekundenschnelle mit einem Bündel von Prospekten zur Stelle:
»Für 1200 Dollar liefere ich Ihnen einen erstklassigen Flügel. Deutsches Fabrikat. Ich schaffe ihn direkt in Ihre Wohnung.«
»Und was, wenn Sie ihn auf der Stiege fallen lassen?«
»Kann mir nicht passieren. Mir nicht. Aber um Sie zu beruhigen: gegen eine Aufzahlung von nur zwölf Dollar be-

kommen Sie von mir eine komplette Sachschaden-Versicherung. Ich bin der solideste Versicherungsagent im Umkreis. Spielen Sie selbst Klavier? Oder die Gattin?«
»Weder — noch. Wir haben nur immer davon geträumt, daß unser Sohn —«
»Wunderbar! Ich verschaffe Ihnen einen staatlich geprüften Klavierlehrer! Acht Stunden im Monat für 18,50!«
»Wer weiß — vielleicht will aber der Kleine gar nicht lernen?«
»75 Dollar in drei Raten — und Sie haben den besten Kinderpsychologen von ganz Amerika! Der wird den Balg schon hinkriegen!«
»Hm. Bleibt immer noch ein Haken: wir sind kinderlos.«
»Kopf hoch! Eine einmalige, garantiert erfolgreiche Beratung durch einen anerkannten Fachmann kostet Sie nicht mehr als —«
»Halt!« fuhr ich dazwischen, denn mir war plötzlich der erlösende Gedanke gekommen. »Übernehmen Sie auch das Verfassen von Reisebüchern?«
»Selbstverständlich. 1500 Dollar für 220 Manuskriptseiten, zweizeilig, 65 Anschläge pro Zeile.«
»Aber es muß lustig sein!«
»Kein Problem. Macht 15 Dollar Zuschlag für jeden Druckbogen . . .«
Und so geschah es, daß dieses Buch — wie der geneigte Leser wohl schon längst geargwöhnt hat — von einem Tankstellenwärter im Staate New Haven geschrieben wurde.

Amerika gilt ganz allgemein als ein restlos durchtechnisiertes, vollautomatisch betriebenes Land, dessen Bewohner ein nach bestimmten Schablonen vorgestanztes Leben führen, das von genau festgelegten, ebenso konventionellen wie konformistischen Regeln bestimmt wird. In Wahrheit sind die Amerikaner im höchsten Grad individualistisch und absonderlich, viel absonderlicher als jedes andre Volk, weil sie von ihren Absonderlichkeiten nichts wissen und sie für völlig normal halten. Der Amerikaner findet alles, was er tut und was ihm geschieht, in Ordnung. Er wundert sich nicht im geringsten, wenn ihm ein Tankstellenwärter ameisenhaltige Konzertflügel zum Kauf anbietet. Er glaubt fest daran, daß Gott das Fernsehen erfunden hat, auf daß die natürliche Dreiteilung des Tages gewahrt werde: acht Stunden Schlaf, sechs Stunden Arbeit und zwölf Stunden vor dem Bildschirm. Er ist davon durchdrungen, daß ein erstklassiger Baseballspieler mit Recht so viel Geld verdient wie der Präsident der Vereinigten Staaten oder sogar wie Elvis Presley; daß man die Zukunft planen und Geld sparen muß für den Tag, an dem die Atombomben zu fallen beginnen; daß eine amerikanische Ehe ohne zwei amerikanische Kinder — einen amerikanischen Knaben und ein amerikanisches Mädchen im Alter von elf beziehungsweise neun Jahren — keine amerikanische Ehe ist; daß es nur in Amerika Steaks gibt; daß man aus Broschüren alles erlernen kann, auch »Wie man Präsident wird, in zehn leichtfaßlichen Lektionen«; und daß Gott die Amerikaner liebt, ohne Rücksicht auf Rasse oder Religion, aber mit Berücksichtigung ihres sozialen Status.

Ungeachtet dieser vielfältigen Voraussetzungen herrscht in allen Staaten der Union die gleiche Strenge von Gesetz und Recht.

Im Staate Alabama ist es zum Beispiel verboten, während

eines Schaltjahrs Popcorn zu verkaufen. Im nahe gelegenen Staate Mississippi dürfen Kinder unter acht Jahren nur in Gegenwart eines Notars »Mama und Papa« spielen. Nebraska weist alle Junggesellen über dreißig aus (nur Piloten, Polizisten und Rollschuhläufer werden hiervon nicht betroffen). Colorado untersagt das Stricken von Wolljacken. Oregon stellt nur Briefträger an, die eine Taucherprüfung abgelegt haben. In Ohio darf sich eine Frau auf der Bühne nicht entkleiden, in New York darf sie, in Nevada muß sie.

Und wo das Gesetz nicht ausreicht, nehmen es die Menschen selbst in die Hand.

Mein Onkel Harry zum Beispiel ist Mitglied der Vegetarier-Loge der Freimaurer und haßt die Mitglieder der Fisch- und Krustentier-Loge aus ganzer Seele. Außerdem gehört er dem »Weltverband zur Verbreitung und Förderung des Monotheismus« an, einer hochangesehenen Organisation, in deren Reihen sowohl Juden zu finden sind, die an Jesus glauben, als auch Christen mosaischen Bekenntnisses. Ferner ist Onkel Harry Vizepräsident der Hadassa-Bezirksorganisation und hat seine Bridgepartie im »Rekonstruktions-Cercle«, wo man mit Geistern und Fliegenden Untertassen verkehrt. Onkel Harry belehrte mich auch über die Quäker, die sich während ihrer wortlosen Gebete ekstatisch hin- und herwiegen, jede Form des Eides verabscheuen und die Abschaffung von Sklaverei und Militärdienst sowie die Einführung gleicher Rechte für die Frau betreiben. Anderseits wird Utah von den Mormonen beherrscht, einer Sekte, die immerhin so zahlreich ist wie die israelischen Juden. Die Mormonen sind anständige, rechtlich gesinnte Leute. Sie rauchen nicht, sie trinken weder Alkohol noch Tee noch Kaffee, und sie begnügen sich mit dem, was übrigbleibt, also mit zwei oder mehr Frauen.

»Wie war das, bitte?« unterbrach ich Onkel Harry. »Sagtest du: zwei oder mehr Frauen?«
»Ursprünglich war das so.« Onkel Harrys Blicke schweiften wehmütig in Richtung Utah, kamen aber nur bis Illinois. »Heute haben auch sie sich zur Monogamie bekehrt.«
»Warum, um Himmels willen?«
»Sie hatten keine Wahl.«
Das Problem begann mich zu interessieren.

»Hm«, brummte ich am nächsten Tag beim Frühstück vor mich hin. »Hm, hm, hm. Merkwürdig.«
Meine Gattin kniff fragend die Augen zusammen: »Was ist merkwürdig?«
»Was Onkel Harry mir gestern über die Mormonen und ihre Vielweiberei erzählt hat.«
»Wieso ist das merkwürdig? Besser in aller Offenheit eine zweite Frau als ein heimliches Verhältnis. Findest du nicht?«
Ich staunte. Ich hatte erwartet, daß meine Gattin zu toben begänne: über die barbarischen Sitten einer exzentrischen Sekte, über die Benachteiligung der Frauen, über den Egoismus der Männer und über alles, was ihr sonst gerade in den Sinn käme. Statt dessen ...
»Du magst recht haben«, nahm ich vorsichtig den Faden wieder auf. »Eigentlich ist es für die Mormonen ein sehr natürlicher Ausweg, den ihre Religion ihnen da bietet.«
»Wieso ist das nur für die Mormonen natürlich? Wieso, zum Beispiel, nicht für dich?«
»Weil den Juden, zum Beispiel, die Polygamie schon von Rabbi Gerschom verboten wurde.«
»Wann hat Rabbi Gerschom gelebt?«
»Im elften Jahrhundert.«

»Und da richtet man sich noch immer nach ihm? Ein mittelalterliches Verbot kann doch heute nicht mehr gelten!«
Ich muß gestehen, daß meine kleine, kluge Frau einen ganz neuen Aspekt des Problems aufgedeckt hatte. Nach unseren eigenen, biblischen, altehrwürdigen, man könnte geradezu sagen: ewigen Gesetzen ist es uns nicht nur gestattet, mehrere Frauen zu haben, sondern es wird uns geradezu empfohlen. Genau wie den Mormonen.
»Tatsächlich«, bestätigte ich. »Unsere Vorväter waren vernünftiger als wir. Sie wußten, daß auch eine gute Ehe — und ich wiederhole: eine *gute* Ehe — mit der Zeit in die Brüche gehen kann, wenn der Mann ... wenn das Abwechslungsbedürfnis des Mannes ... du verstehst ...«
»Ich verstehe. Es ist ja nur natürlich.«
Ich bewunderte sie immer mehr. Und das ganze Problem wurde mir immer klarer. Warum wäre es denn eine Sünde, wenn ein normaler Mann, sozusagen der Mormone von der Straße, sich zu mehreren Frauen hingezogen fühlt? Herrscht nicht auch in der Tierwelt, die den reinen, unverwässerten Naturgesetzen gehorcht, Polygamie? Eigentlich ist das Ganze nur eine Frage der Einstellung, der Erziehung, der folkloristischen Gegebenheiten. Und vergessen wir nicht, daß wir Israelis im Orient zu Hause sind, wo die Institution des Harems ihren sicherlich nicht zufälligen Ursprung hat ...
»Wie man's nimmt«, äußerte ich unverbindlich. »Im Grunde hängt es von der Intelligenz der Beteiligten ab.«
»Ganz richtig. Ich bin sicher, daß du dich nicht mit irgendeinem primitiven Weibchen abgeben würdest.«
»Niemals. Das würde ich dir niemals antun. Schließlich müßtest du ja mit ihr unter einem Dach leben.«
»Allerdings. Deshalb käme mir auch ein gewisses Mitspracherecht zu. Es dürfte also keine Rothaarige sein.«

»Warum?«
»Rothaarige machen immer soviel Lärm.«
»Nicht immer. Das ist ein dummes Vorurteil. Aber bitte, wenn du unter gar keinen Umständen eine Rothaarige haben willst, dann eben nicht. Die Harmonie im Heim geht mir über alles.«
»Ich habe auch nichts andres von dir erwartet. Und mit ein wenig gegenseitigem Verständnis läßt sich alles regeln. Ich stehe am Morgen auf und kümmere mich ums Frühstück, während sie die Wohnung in Ordnung bringt und dir ein heißes Bad vorbereitet.«
»Ein lauwarmes, Liebste. Im Sommer bade ich lauwarm.«
»Schön, das ist dann ihre Sache. Ich will ihr nicht ins Handwerk pfuschen. Ich werde alles tun, um mit Clarisse gut auszukommen.«
»Clarisse?«
»Ich möchte gern, daß sie Clarisse heißt.«
»Ist das nicht eine kleine Erpressung?«
»Bitte sehr. Ich bestehe nicht darauf. Du bist der Herr im Haus. Wir teilen dich unter uns auf.«
Das klang vielversprechend. Wieder einmal zeigte sich, daß ein überlegener Intellekt, der mir ja glücklicherweise gegeben ist, immer den richtigen Weg zu finden weiß... Und ich mußte meiner Frau das Zeugnis ausstellen, daß sie auf diesen Weg einging.
»Liebling«, sagte ich und streichelte ihre Hand. »Damit hier kein Mißverständnis entsteht: du bleibst natürlich die Favoritin. Du bleibst meine wirkliche und eigentliche Frau.«
»Ach, darauf kommt's doch gar nicht an!«
»Doch, doch. Wie kannst du so etwas sagen? Innerhalb der Familie gibt es eine festgelegte Hierarchie. Auch bei den Mormonen. Die zweite Frau muß sich klar darüber sein,

daß sie nicht die erste Geige spielt, selbst wenn sie noch so jung und schön ist. Du wirst ihr ja auch im Alter voraus sein, nicht wahr?«

»Das findet sich. Das ergeben die Umstände. Auf jeden Fall hat ein solches Arrangement viele Vorteile.«

»Was für Vorteile?«

»Zum Beispiel brauchen wir keinen Babysitter!«

»Stimmt! Das erspart uns eine große Sorge. Und Geld. Wir werden abwechselnd bei den Kindern zu Hause bleiben ...«

Noch während ich sprach, kam mir das Neuartige der Situation zum Bewußtsein. »Die Kinder«, murmelte ich. »Welche ... wessen Kinder ...«

»Deine. Warum?«

»Ich dachte nur ... da entstehen ja ganz neue Komplikationen ... bezüglich ... betreffend ... die Kinder ...«

»Laß doch. Darüber werden wir nicht streiten.«

Ich war sprachlos. So viel Lebensklugheit, so viel Souveränität hätte ich von meiner Frau nicht erwartet. Wären alle Amerikaner mit solchen Juwelen von Gattinnen gesegnet gewesen — nie hätten die Mormonen die Vielweiberei aufgeben müssen! Denn soviel steht fest: man kann ein musterhafter, treuer Ehemann sein und trotzdem ab und zu für ein junges, gut aussehendes Geschöpfchen etwas übrig haben. Pedanten mögen das als »Polygamie« bezeichnen. Ich nenne es »erweiterte Monogamie«. So einfach liegen die scheinbar schwierigsten Probleme, so natürlich lösen sie sich, wenn man nur den guten Willen dazu hat ... Und mit fröhlicher Stimme holte ich aus:

»Dann ist ja alles in Ordnung! Und dann kann ich dir ja auch sagen, daß ich schon die längste Zeit an eine ganz bestimmte Frau denke, die —«

»Was?! An wen?!« Das klang mit einemmal ganz spitz und scharf.

Verwirrt suchte ich den Blick meiner Frau und fand statt dessen zwei wild rollende Augenbälle.
»Ja, aber Liebste ...«
»Schweig! Und sag mir sofort, ob du am Ende gar im Ernst gesprochen hast?«
»Ich? Im Ernst? Das kann nicht dein Ernst sein. Hast du plötzlich deinen Humor verloren? Hehehe ... Da bist du mir aber schön hereingefallen ...«
Und damit war meine Zukunft als Mormone beendet, noch ehe sie begonnen hatte.

Ich habe noch von einer weiteren Zukunftsvision zu berichten, mit der ich gleichfalls scheiterte. Oder zumindest nahm sie andere Formen an, als ich geplant hatte. Ich hatte geplant, in Hollywood nach meiner Karriere zu sehen. Die Richtung, in die sich das entwickelte, erinnerte mich irgendwie an das Ende meiner Begegnung mit dem Tankstellenwärter von New Haven.
Mein Sitznachbar im Flugzeug nach Hollywood war ein guterhaltener, wohlgenährter Fünfziger, der die meiste Zeit in klangreichem Schlummer verbrachte. Über Chicago hatte ich genug davon und rüttelte ihn wach:
»Entschuldigen Sie — wann kommen wir in Hollywood an?«
»Keine Ahnung.«
»Leben Sie denn nicht in Hollywood?«
»Nein.«
»Warum fliegen Sie dann hin?«
»Wie soll ich das wissen? Fragen Sie meinen Agenten.«
Nach ein paar weiteren Sätzen besaß Mr. Maxwell — dies sein Name — volle Klarheit darüber, daß ich ein ahnungs-

loser Ausländer war, ein Neuling, ein Greenhorn ohne die mindeste Kenntnis amerikanischer Lebensgewohnheiten. Als ich ihm vollends auf die Frage, wer mein Agent sei, wahrheitsgemäß antworten mußte, daß ich keinen hätte, fiel er beinahe vom Sitz: »Um Himmels willen — wie wollen Sie ohne Agenten leben? Wer kümmert sich um Ihre Angelegenheiten? Wer sorgt für Sie?«
»Vielleicht der liebe Gott«, murmelte ich zaghaft.
Maxwell schüttelte ungläubig den Kopf, sagte aber nichts, weil ihm in diesem Augenblick — wir überflogen gerade Texas — ein Kabel eingehändigt wurde, in das er mir lässig Einblick gewährte:
»wetter in hollywood unsicher empfehle grauen pullover 20.45 dinner mit praesidenten paramount gruss — moe.«
»Da sehen Sie's«, nickte Maxwell. »Alles, was Sie brauchen, ist ein guter Agent.«
Und er begann mir klarzumachen, daß der Agent die wichtigste nationale Institution Amerikas sei. Selbstverständlich, so sagte er mir, beschränken sich die Aufgaben des Agenten nicht auf die Wahl der Pulloverfarbe; sie liegen vielmehr auf dem Gebiet der Publicity, der öffentlichen Geltung, des beruflichen Aufstiegs. Ein guter Agent hat nichts andres im Sinn, als die einmaligen, die einzigartigen Fähigkeiten seines Klienten zu rühmen, zu verherrlichen und zu lobpreisen, laut und pausenlos, zu Lande, zu Wasser und in der Luft, bis zum letzten Atemzug, bis zum letzten Scheck, in Ewigkeit, Amen.
Maxwells hymnische Worte beeindruckten mich tief. Als er eine kurze Pause machte, fragte ich ihn nach seinem Beruf.
»Ich bin Agent«, antwortete er. »Warum?«
»Ja, aber — wenn Sie selbst Agent sind, wozu brauchen Sie dann einen Agenten?«
Maxwell lächelte nachsichtig.

»Ich gehöre zur höchsten Rangklasse. Zur allerersten Garnitur. Soll ich mich vielleicht selbst als den größten Agenten der Welt vorstellen? Das geht nicht. Das muß jemand andrer für mich machen. Und dazu brauche ich einen Agenten.«
Meine neidvolle Bewunderung für Maxwell stieg bei der Landung in Los Angeles sprunghaft an. Noch während wir das Flugzeug verließen, kam aus vier Lautsprechern die mehrfach wiederholte Durchsage:
»Mr. Maxwell wird gebeten, zum blauen Cadillac vor der Ankunftshalle zu kommen ... wird gebeten ... blauer Cadillac ... Mr. Maxwell ... blauer Cadillac ...«
In der Ankunftshalle begrüßte ihn ein strahlender Managertyp mit einem großen Blumenstrauß. Kein Zweifel: es war der treue Moe, der ihm den grauen Pullover ins Flugzeug gekabelt hatte.
Ich hingegen stand allein und verlassen bei meinen Koffern, ein armes Waisenkind ohne Adresse, ohne Hoffnung, ohne Brücke zur Welt, ohne Agenten. Schlotternd näherte ich mich der Prinzessin hinterm Informationsschalter:
»Bitte, können Sie mir ein gutes Hotel nennen?«
Die Prinzessin ließ ihre exquisit langen Wimpern flattern:
»Hat denn Ihr Agent kein Zimmer für Sie bestellt?«
Ich wagte nicht, ihr die Wahrheit zu sagen, und senkte nur stumm den Kopf.
Da sie mir kein gutes Hotel nennen konnte, sondern nur die Adresse von zwei guten Agenten, versuchte ich es selbst und rief im Beverly Hills Hotel an.
»Bedaure, Mr. Kitschen, wir sind komplett«, antwortete der Empfang. Das war das ganze Gespräch.
Ich schleppte meinen müden Körper und meine drei bleischweren Koffer an den Taxistand und begehrte zu einem Hotel gefahren zu werden.

»Zu welchem Hotel, Mister?«
»Zu irgendeinem.«
Der Fahrer wandte sich um und sah mich an.
»Nein«, sagte ich. »Ich habe keinen Agenten. Fahren Sie trotzdem los.«
Als wir am Beverley Hills Hotel vorbeikamen, sah ich den blauen Cadillac vor dem Eingang stehen, und vor dem blauen Cadillac stand Moe. Es war ein Wink des Himmels. Ich ließ halten und stürzte auf Moe zu: »Moe«, stammelte ich atemlos, »Sie müssen mich nehmen, Moe!«
Moe maß mich prüfend von oben bis unten. Nachdem ich seinem Blick etwa eine Minute standgehalten hatte, zog er ein kleines Notizbuch aus der Tasche und zückte seinen goldenen Füllbleistift:
»Morgen um halb zehn haben Sie ein Fernseh-Interview bei der CBS, Studio F. Um viertel eins treffen Sie Hedda Hopper. Um dreiviertel zwei lunchen Sie mit dem Produktionsleiter der Paramount. Um drei kommen die Photographen. Vergessen Sie Ihre Gitarre nicht.«
»Aber ich bin kein Pop-Sänger, ich —«
»Wollen Sie das gefälligst mir überlassen«, brauste Moe auf. »Und jetzt gehen Sie auf Ihr Zimmer. Nummer 2003. Frühstück um acht. Zwei weichgekochte Eier. Das ist gut für Ihre Stimme. Unterschreiben Sie hier.«
Er hielt mir ein eng bedrucktes Formular hin, dem ich schon beim ersten Überfliegen entnahm, daß ich von meinen sämtlichen Einkünften — auf dem Gebiet der Vereinigten Staaten, des Britischen Weltreichs innerhalb der Grenzen von 1939 und überall sonst — 20% an meinen Agenten abzugeben hätte, gleichgültig wie diese Einkünfte zustande kommen, ob durch Arbeit, Erbschaft oder Glücksspiel.
»Ist das ein Vertrag auf Lebensdauer, Moe?« hieß eine innere Stimme mich fragen.

»Selbstverständlich«, antwortete Moe.
»Dann kann ich nicht unterschreiben«, stieß ich hervor, packte meine Koffer und rannte durch die Hotelhalle zum Empfangsbüro. Moe rief hinter mir her, daß ich mich nicht anstrengen sollte, hier gäbe es keine Zimmer. Aber jetzt ließ ich mich nicht mehr beirren. Ich hatte den Trick durchschaut. Schon stand ich vor dem Empfangschef:
»Mein Name ist Hyman Schwartz. Ich bin Mr. Kitschens Agent, literarischer Berater des Pentagon und Verfasser von Tolstojs ›Krieg und Frieden‹. Ich brauche ein Doppelzimmer mit Bad, und zwar sofort.«
Von meinem Doppelzimmer rief ich Hedda Hopper an:
»Hedda darling«, flötete ich. »Weißt du, für wen ich jetzt arbeite? Du wirst es nicht glauben: für Kitschen. Ja, ganz richtig. Ein phantastischer Kerl, nicht wahr. Und du stirbst natürlich vor Neugier, zu erfahren, was er vorhat...«
Dem Präsidenten der Paramount kündigte ich für Mittwoch meinen Besuch an und versprach ihm die Weltrechte einer neuen, sensationellen Story von Kitschen. Schon nach wenigen Tagen hatte ich für diesen unfähigen Schwachkopf die besten Verbindungen hergestellt und seine Karriere auf Jahre hinaus gesichert.
Mit mir wollte kein einziger meiner Verhandlungspartner sprechen. Alle zogen es vor, direkt mit meinem Agenten zu verhandeln. Ich war überflüssig. Wer braucht einen Schriftsteller? Was ich brauche, ist ein guter Agent.

»Wer in Hollywood ist und nicht nach Las Vegas fährt«, sagt ein altes mohammedanisches Sprichwort, »der ist entweder nicht normal, oder er war schon dort.«
Las Vegas im Staate Nevada gilt mit Recht als das Monte

Carlo der USA. In ganz Nordamerika sind Glücksspiele verboten, ausgenommen die Börse und ausgenommen Nevada, das sich um die Gesetze der übrigen amerikanischen Staaten nicht kümmert. Übrigens ist Nevada von allen amerikanischen Staaten der ärmste. Besser gesagt: es *war* der ärmste, bevor meine Frau und ich hinkamen.

Natürlich wußten wir ganz genau, was uns dort erwartet. Wir würden, so sprachen wir darum zu uns selbst, wir würden 10 Dollar an der Roulette riskieren, keinen Cent mehr, 10 Dollar und Schluß.

Als wir mitten in der nevadensischen Wüste dem Flugzeug entstiegen, hatte ich überdies schon die Tickets in meiner Tasche, die uns vier Stunden später nach New Orleans bringen würden. Jedes Risiko war ausgeschlossen.

Las Vegas besteht aus einer grandiosen Hauptstraße und keinen wie immer gearteten Nebenstraßen. Die Hauptstraße besteht aus Hunderten von Casinos und Tausenden von Glücksrittern. Eines dieser Casinos betraten wir. Es hieß »Sand's«, und das verursachte uns ein anheimelndes Gefühl. Wir fühlten uns an den Negev erinnert.

Eine unübersehbare Menge Irrsinniger staute sich in der großen Halle, drängte sich um die Slotmaschinen, spielte Karten und natürlich Roulette. Die Slotmaschinen faszinierten uns ganz besonders. Man wirft mit der linken Hand eine Münze ein und betätigt mit der rechten einen Hebel, worauf hinter einer gläsernen Querleiste drei mit verschiedenen Früchten geschmückte Zylinder wild zu rotieren beginnen. Nach einiger Zeit bleiben sie stehen, und wenn dann alle drei die gleichen Früchte zeigen, ergießt sich aus Fortunas Füllhorn ein Regen kleiner und großer Münzen in die Taschen des Gewinners. Man muß nur wissen, wie man den Hebel am besten niederdrückt und wann man ihn am besten losläßt. Oft dauert es stunden- oder tagelang, ehe

man dahinterkommt. Aber wenn man das weiß, versteht man auch, warum es in Nevada so viele traurige Menschen mit überentwickelten rechten Armmuskeln gibt.
Zugegeben: das Spiel ist nicht sehr intelligent. Es nahm uns auch nicht länger als drei Minuten in Anspruch. Wir sind ja keine kleinen Kinder.
Mit den verbliebenen fünf Dollar begaben wir uns an einen Roulettetisch und erstanden 10 Chips im Werte von je 50 Cents.
»Spielen wir nach der todsicheren Methode«, schlug ich vor. »Schultheiß hat damit vor ein paar Jahren fünfzehnhundert Dollar gewonnen. Man muß immer dieselbe Farbe setzen. Gewinnt man, ist es gut. Wenn nicht, verdoppelt man den Einsatz. Verliert man wieder, verdoppelt man ihn noch einmal. Man verdoppelt ihn so lange, bis man gewinnt. Und einmal *muß* man doch gewinnen.«
Niemand wird bestreiten, daß das ganz einfach und überzeugend klingt, beinahe wissenschaftlich.
Wir setzten 50 Cents auf schwarz. Ich wollte auf rot setzen, aber die beste Ehefrau von allen blieb standhaft.
Rot kam. Das schadete nichts. Wir verdoppelten den Einsatz, wie es die todsichere Methode vorschrieb.
Rot kam. Jetzt betrug unser Einsatz auf schwarz bereits zwei Dollar. Es kam rot.
»Ich hab' dir doch gesagt, daß wir auf rot setzen sollen«, zischte ich meiner Gattin zu. »Wie kann man von allen Farben ausgerechnet auf schwarz verfallen?«
Wir kauften vom Croupier zehn Ein-Dollar-Chips und zweigten sofort vier Dollar für den nächsten Einsatz ab, diesmal auf rot. Schwarz kam.
Jetzt erst zischte meine Gattin zurück.
»Idiot!« zischte sie. »Seit wann wechselt man mitten im Spiel die Farbe?«

Die nächsten 10 Ein-Dollar-Chips, die wir gekauft hatten, setzten wir brav und folgsam auf schwarz. Rot kam. Schultheiß kann was erleben, wenn ich ihn nächstens treffe.
16 Dollar auf schwarz. Und was kam? Allerdings.
Kalter Schweiß stand mir auf der Stirn. Was meine Frau betraf, so war ihr Gesichtsausdruck eine pikante Mischung aus Blässe, Schrecken und mühsam zurückgedämmtem Haß.
Eine Verbrecherhöhle. Wir waren unter Verbrecher geraten. Besonders dieser Croupier mit dem unbeweglichen Gesicht. Er muß bis vor wenigen Tagen der Boß einer Gangsterbande gewesen sein. Wahrscheinlich ist er es noch. Verbrecher, wohin das Auge blickt. Das ist Amerika. Nichts als Dekadenz und Opium für die Massen. Pfui Teufel.
Ich kaufte Chips für 32 Dollar und setzte den ganzen Haufen auf schwarz. Der Croupier drehte das Rad und ließ die Kugel rollen. Und plötzlich wußte ich, mit einer über jeden Zweifel erhabenen Sicherheit wußte ich, daß jetzt rot kommen würde. Dieses unfehlbare Gefühl läßt sich nicht erklären. Du hast es, oder du hast es nicht. Es ist, als wären die Schuppen von deinem inneren Auge gefallen und als hätte eine innere Stimme das Wörtchen »rot« in dein inneres Ohr geflüstert. Ich schob die Chips auf rot.
»Nein!« kreischte die beste Ehefrau von allen und ergriff die Chips. Schon lagen sie wieder auf schwarz.
Ein stummer, verzweifelter Kampf begann. Ich bin der Mann. Ich blieb Sieger. In der letzten Sekunde erreichten unsere Chips das rote Feld.
»Zu spät!« schnarrte der Croupier und schob das ganze Geld auf schwarz zurück.
Das hätte er nicht tun sollen. Schwarz kam und brachte uns 64 Dollar. Roulette ist ein großartiges Spiel. Es ist nicht nur anregend und entspannend, sondern wirft auch reichen

Lohn für den instinktsicheren Spieler ab, der das Glück zu meistern versteht.
Ich nickte dem Croupier, einem ungewöhnlich sympathischen jungen Menschen, freundlich zu und berechnete, wieviel wir bisher gewonnen hatten.
Wir hatten einen Dollar gewonnen.
Aber wir besaßen immerhin 64 Ein-Dollar-Chips.
»Dieses blöde Einsatz-Verdoppeln geht mir zu langsam«, äußerte die beste Ehefrau von allen. »Ich spiele Nummern.«
Es gibt 36 Nummern auf dem Rad, und wenn die gesetzte Nummer kommt, bringt sie 36faches Geld. Einer an der Wand hängenden Ehrentafel konnte man entnehmen, daß im Jahre 1956 ein Cowboy die Bank dieses Casinos gesprengt und Las Vegas mit 680 000 Dollar in der Tasche verlassen hatte. Was ein Cowboy kann, müßten auch wir können.
Meine Frau setzte einen Dollar auf 25. Blinde Wut überkam mich. Warum gerade 25?
»Du bist verrückt! Setz auf 19! Ich garantiere für 19!«
Jetzt gab sie sich keine Mühe mehr, ihren Haß zu verbergen:
»Du verdirbst mir alles. Ich hätte dich nicht mitnehmen sollen. Ich hätte dich nicht heiraten sollen. Alles verdirbst du mir.«
Da sie die Chips verwaltete, unternahm ich nichts weiter und überließ sie ihrem Schicksal. Wollen sehen, was sie aufsteckt.
Ich meinerseits kaufte Chips für 5 Dollar und setzte sie auf die klar zutage liegende Nummer 19. Die Spannung war unerträglich. Mit angehaltenem Atem folgten wir dem Lauf der Kugel. Endlich fiel sie.
Sie fiel auf 25. Ich verstehe bis heute nicht, wie das gesche-

hen konnte. Meine Frau strich 36 Dollar ein. Seit frühester Kindheit habe ich mich nicht mehr so erniedrigt gefühlt. Eine Säule von runden Chips türmte sich vor ihr auf, und vor mir war alles leer. Sie aber warf auch noch einen Dollar »pour les employés« hin. Ich haßte sie.

»Hast du keine bessere Verwendung für dein Geld?« fragte ich mit vornehmer Zurückhaltung.

»Rutsch mir den Buckel herunter«, lautete ihre weit weniger vornehme Antwort. »Mit meinem Geld kann ich machen, was ich will. Und verschwind schon endlich! Es ist eine alte Regel, daß man keinen Schlemihl in seiner Nähe haben soll, wenn die Glückssträhne einsetzt.«

Ich entfernte mich tief betroffen und in der unerschütterlichen Überzeugung, daß 19 die richtige Nummer und 25 nur durch einen Zufall gekommen war.

Beim Baccarat-Tisch blieb ich stehen, entnahm meiner Brieftasche eine 20-Dollar-Note und legte sie irgendwohin. Ich wußte weder wohin noch warum. Ich kannte das Spiel nicht. Der Bankier gab mir zwei Karten und sich selbst ebenfalls zwei. Dann deckte er die seinen auf. Dann deckte ich die meinen auf. Dann hatte ich verloren, und er raffte mein Geld an sich.

Ich ging zur Roulette zurück und fand meine Frau einer Ohnmacht nahe, so aufgeregt war sie: Berge von Chips lagen vor ihr auf dem Tisch, richtige kleine Berge. Vor freudiger Überraschung blieb mir der Mund offen. Jetzt würden wir mindestens drei Wochen in New Orleans bleiben können. Was für eine prächtige Gefährtin habe ich doch! Ihre rosigen Wangen glühten und ihre mandelförmigen Augen blitzten, während ihre wundervoll graziösen Hände über die Beute strichen. Möge sie leben und gesund sein bis 120...

»Putzili«, girrte ich. »Sag, wie hast du das gemacht?«

»Frag nicht so blöd«, antwortete sie mit heiserer Stimme. Ich hab' mir für hundert Dollar Chips gekauft.«
Ein Blick auf ihr verzerrtes Gesicht bestätigte mir die fürchterliche Wahrheit ihrer Worte. Ich hatte ja gewußt, daß dieses Monstrum alles verlieren würde, Gott helfe mir. Wie sie nur dasaß! Die Augen stier an die Kugel geheftet, die Finger gierig um die Geldbörse gekrallt — wahrhaftig, sie sah kaum noch menschlich aus. Und in der Geldbörse war unser ganzes Geld. Sie warf es in frivolem Leichtsinn hinaus, sie opferte die mühsam erworbenen, im Schweiß unsres Angesichtes zum offiziellen Kurs eingewechselten Dollar dem Spielteufel. Kein Zweifel: sie war verrückt geworden. Wann hat man je gehört, daß ein vernünftiger Mensch auf 5 setzt? Oder gar auf 3, wie sie es jetzt tat?
Das Häufchen Chips vor ihr wurde kleiner und kleiner. Eine flüchtige, eher nach unten abgerundete Berechnung ergab eine Verlustquote von 2 Dollar pro Minute.
Ich sah nach der Uhr. In anderthalb Stunden ging unser Flugzeug nach New Orleans. Wie die Dinge lagen, konnten wir dort höchstens noch drei Tage verbringen.
Und jetzt hat sie wieder auf 25 gesetzt. Werden Frauen denn nie aus ihren Fehlern lernen?
Etwas mußte geschehen. Ich kann unmöglich tatenlos mit ansehen, wie unsre Zukunft mit einer Minutengeschwindigkeit von 2 Dollar ruiniert wird.
»Liebste«, flüsterte ich, »laß uns einkaufen gehen.«
»Geh allein!«
»Eine Handtasche. Wir kaufen eine schöne Handtasche für dich.«
Der Laden, so spekulierte ich, ist 5 Minuten entfernt, das sind 10 Minuten hin und zurück, das ergibt netto 20 Dollar, und das ist selbst nach Abzug des Handtaschenpreises noch immer ein ganz hübscher Reingewinn. So leicht bin ich

schon lange nicht zu Geld gekommen. Genauer: *wäre* ich zu Geld gekommen — wenn meine Frau darauf eingegangen wäre. Statt dessen hat sie beim Croupier schon wieder einen Berg von Chips gekauft.
Und keine innere Stimme, die mir zuraunt, welche Nummer jetzt kommen wird. Sie raunt nur immer wieder: »Leb wohl, New Orleans, leb wohl ...«
Ich bringe meiner Gattin ein Glas Tee. Eine Minute gewonnen. Macht 2 Dollar abzüglich Getränkesteuer.
Nächster Versuch: »Gehen wir zu den Slotmaschinen.« Dort nämlich kostete die Minute höchstens einen Dollar. Sie will nicht. Sie will Roulette spielen. Sie setzt — und zwar gleichzeitig — 8, 9, 10, die Transversale 4—6, Zero, rot, erstes Dutzend. Es kommt 22, schwarz, zweites Dutzend. Wenn wenigstens die Nummer 19 gekommen wäre, auf die ich von Zeit zu Zeit 10 Dollar setze ...
Aber die Kugel ist rund, und endlich scheint's, als wollte das Glück uns lächeln. Ein sichtlich nervöser Spieler schreit meine Frau an, weil sie immer dieselben Nummern setzt wie er und ihn dadurch um alle Chancen bringt. Meine Frau schreit zurück: im Gegenteil, *er* bringe *sie* um alle Chancen, weil er immer knapp vor ihr seine Chips auf die Nummern setzt, die sie spielen will. Ein lautstarkes Wortgefecht bricht aus, das Rad steht volle acht Minuten still (16 Dollar). Da meine eigene Frau in den Streit verwickelt ist, muß ich Partei ergreifen. Ich trete auf einen der bewaffneten Saalwächter zu und ersuche ihn, die schreiende Weibsperson dort am Tisch aus dem Casino zu weisen. Der Gangster zuckt die Achseln: Schreien sei kein Ausweisungsgrund. Schade. Das hätte zwei Tage in New Orleans bedeuten können.
Der geistige Verfall meiner Gattin macht rasende Fortschritte. Sie setzt gleichzeitig 18, ungerade, schwarz, 25, 2,

die Transversale 4—6, das dritte Dutzend, das zweite Dutzend, 6, Zero, 7, 9 und 13. Und rot. Und das erste Dutzend. Und 8.
In wilder Panik stürze ich zu einer der Telephonzellen und rufe aus dem Casino das Casino an:
»Bitte lassen Sie sofort Mrs. Kitschen ans Telephon holen. Sie sitzt am zweiten Tisch von links. Es ist dringend.«
»Um was handelt sich's?«
»Um einen Schlaganfall in der Familie.«
Zum Glück ist der Tisch ziemlich weit von der Zelle entfernt, und obwohl Mrs. Kitschen in scharfem Tempo angerannt kommt, vergehen 4 Dollar.
»Hallo?«
»Mrs. Kitschen«, sage ich in fließendem Englisch, »die Direktion möchte Ihnen zur Kenntnis bringen, daß nach den Gesetzen des Staates Nevada kein Casinogast länger als zwei Stunden ununterbrochen Roulette spielen darf. Da Sie leider schon —«
»Halt den Mund, Idiot! Glaubst du wirklich, daß ich dich nicht erkannt habe?«
Und schon saust sie an den Tisch zurück. Immerhin: 9 kostbare Minuten sind gewonnen, fast ein ganzer Tag in New Orleans. Und in einer halben Stunde, der Himmel sei bedankt, müssen wir am Flughafen sein.
Ich schleppe unser Gepäck zur Tür und locke durch heftige Winksignale meine Gattin herbei.
»Um Himmels willen!« Ihre Stimme bebt vor jähem Entsetzen. »Wo ist meine schwarze Handtasche?!«
Ich habe keine Ahnung. In der schwarzen Handtasche befinden sich unter anderm die kosmetischen Utensilien meiner Frau. Eine Suche im Wert von mindestens 20 Dollar beginnt. Endlich wird die Handtasche gefunden. Irgend jemand hat sie hinter der Türe versteckt. Ich reiße die Ta-

sche an mich und öffne sie, um das verbliebene Geld zu zählen.
Es ist kein Geld verblieben. Es gibt nichts zu zählen. Meine Frau hat 230 Dollar verloren. 230 Dollar sind ihr durch die Finger geglitten, für nichts und wieder nichts. Wenn sie wenigstens auf 19 gesetzt hätte, so wie ich meine 350 Dollar. Aber vielleicht können wir trotz allem noch zwei Tage in New Orleans verbringen.
Auf dem Flugplatz teilt man uns mit, daß sich der Abflug um eine halbe Stunde verzögern wird. Warum? Bald haben wir die Ursache entdeckt. Im Warteraum stehen 20 Slotmaschinen. Man braucht nur eine Münze einzuwerfen ... und den Hebel zu betätigen ... es ist ganz einfach.
Wie singt der Dichter? »Meine rechte Hand verdorre, könnt' ich jemals dein vergessen, o Las Vegas in Nevada.«
Übrigens: kennen Sie New Orleans? Ich nicht.

»Entspannung« heisst das Motto

Ein patriotisches Schlußkapitel, durchtränkt vom Heimweh des Autors, ohne daß er damit seine Gastländer kränken möchte. — Wer dieses Kapitel richtig verstehen will, muß nach Israel kommen. Warum kommen Sie eigentlich nicht? — Entspannter Weg zur Hölle. — Geschenkskrise mit anschließender Erneuerung unserer Garderobe. — Die Wolkenkratzer von Haifa. — Ende des Reisebuchs, dem kein weiteres nachfolgen wird, weil der Autor in Hinkunft von keinem Land ein Einreisevisum bekommt.

An einem klimaanlagetemperierten Morgen erwachten wir und sahen, daß es Zeit zur Heimkehr war. Wir hatten eine wunderschöne Reise gehabt, hatten die Alte und die Neue Welt kennengelernt, hatten überall interessante Menschen aus Israel getroffen, die meisten unserer ausländischen Botschaften besucht und ein hervorragendes Konzert des Israelischen Symphonie-Orchesters gehört, das sich gerade auf einer Tournee durch die Vereinigten Staaten befand. Wahrscheinlich waren es diese vielen Begegnungen mit Israelis, die uns immer heftiger nach Hause trieben. Wahrscheinlich waren es die überwältigenden Landschaftsbilder, die ragenden Bergesgipfel Europas und die unermeßlichen Prärien Amerikas, die unsere Sehnsucht nach jenem an der Kante Asiens gelegenen Miniaturstaat entfachten, in dem wir leben und in dem es auch sonst sehr originell zugeht. Wir sehnten uns nach der engen, gewundenen Überlandstraße von Tel Aviv nach Jerusalem, die zu beiden Seiten von jugendlichen Autostoppern flankiert wird, wir sehnten uns nach den Tafeln, die sie hochhalten und die auf der einen Seite die Angabe des gewünschten Reiseziels tragen, auf der andern Seite — aber das sieht man erst, wenn man sich im Weiterfahren umdreht — die einladende Aufschrift: »Zerspring!« Wir sehnten uns nach dem Strand von Naharia, wo die Leute Ende August, auf dem Höhepunkt der Sommerhitze, nicht mehr ins Wasser gehen, weil es zu Hause in Polen um diese Zeit schon zu kalt war. Wir sehnten uns nach den Kinos von Tel Aviv, wo es geschehen kann, daß man mutterseelenallein vor dem Kassenschalter steht und daß einem plötzlich ein wildfremder Mensch jo-

vial auf die Schulter klopft: »Können Sie gleich auch für mich eine Karte nehmen? Ich stehe so ungern Schlange.«
Wir sehnten uns nach unsrer Heimat.
Mit einemmal waren sie uns fürchterlich fremd, all diese fremden Länder mit ihrer erstklassigen Organisation, mit ihrem perfekt eingerichteten Leben, mit Expreßbriefen, die tatsächlich vor der normalen Postzustellung ankommen, mit Bahnhofsuhren, von denen man die richtige Zeit ablesen kann, mit Personenaufzügen, die bis ins oberste Stockwerk fahren, mit Feuerzeugen, die wirklich Feuer geben. Wir wollten endlich wieder zweifeln dürfen, ob die Zeit, die wir von einer öffentlichen Uhr ablasen, richtig war oder nicht, wollten endlich wieder den Briefträger verfluchen, der den dringend erwarteten Expreßbrief nicht zugestellt hatte, weil ihm nicht sofort nach dem ersten Läuten die Tür geöffnet wurde, wollten endlich wieder feuchte Zündhölzchen vergebens an der feuchten Phosphorfläche reiben, endlich wieder in einem Land sein, wo es einerseits Atomreaktoren gibt und anderseits zu den Personenaufzügen die Tafel »Außer Betrieb« gleich mitgeliefert wird. Wir wollten wieder oben auf dem Berg Karmel stehen und plötzlich, während wir trunkenen Blicks das unvergleichliche Panorama des Hafens von Haifa in uns aufnahmen, einen schmerzhaften Tritt in den Hintern verspüren und jäh herumfahren und uns einem bärtigen Unbekannten gegenübersehen, der zwar ein wenig überrascht, aber in keiner Weise verlegen die Worte hören läßt:
»Entschuldigen Sie — ich habe Sie für jemand andern gehalten.«
»Und? Was soll's? Darf ich fragen, warum Sie jemand andern in den Hintern getreten hätten?«
»Nein, das dürfen Sie nicht. Das geht Sie gar nichts an.«
O Heimat . . . O Heimweh . . .

Man muß es uns am Gesicht angesehen haben. Onkel Harry zog mich beiseite und sprach mir tröstend zu:
»Ich weiß, daß ihr die Tage bis zu eurer Abreise zählt. Und das macht euch natürlich nervös. Wir Amerikaner haben große Erfahrung im täglichen Kampf gegen diesen Fluch unseres Jahrhunderts — gegen die Nervosität. Wir wissen Bescheid. ›Entspannung‹ heißt das Motto. Es hilft nichts, sich vor Nervosität zu verzehren. Warum seid ihr nervös? Entspannt euch! Lacht! Seid glücklich!«
Mit diesen Worten streckte sich Onkel Harry auf die Couch und schloß seine Augen:
»Ich entspanne mich ... ich *bin* bereits entspannt ... ich bin vollkommen ruhig ... ich habe alle Sorgen vergessen ... ich wiege mich auf den sanften Wellen der Entspannung ... Großer Gott! Halb zwölf?! Mein Anwalt wartet auf mich ...«
Er sprang auf und stürzte in den glühend heißen Sommertag hinaus. Ich nahm seinen Platz ein und versuchte seinem Rat zu folgen. Ich versuchte mich zu entspannen, nicht nervös zu sein, meine Sorgen zu vergessen, mich frei und unbelastet zu fühlen, an nichts zu denken, nicht an unsere Abreise und nicht an die neuen Koffer, deren Schlüssel verlorengegangen waren ... nicht an unsre Wohnung in Tel Aviv, in der das Wasser jetzt schon einen halben Meter hoch stehen mußte, weil wir den Hahn nicht abgedreht hatten ... nicht an das Flugzeug, das nach dem Gesetz der Serie für einen Absturz fällig war ... nicht an unsere Pässe, die wir schon seit drei Tagen nirgends finden konnten ... nicht an das Telegramm, das ich schon längst hätte abschicken sollen ... nicht an ... nicht an ...
Verzweifelt hockte ich auf der Couch, zitternd am ganzen Körper, ein klägliches Nervenbündel, ein Wrack. Die Erkenntnis, daß jeder beliebige Amerikaner sich beliebig ent-

spannen konnte und ich trotz größter Mühe nicht, brachte mich dem Irrsinn nahe. Tante Trude, die zufällig ins Zimmer kam, merkte das sofort, brach in hysterisches Schluchzen aus und telephonierte um den Arzt.
Ich erklärte ihm, daß diese letzten Tage zuviel für mich waren. Meine Nerven ertrügen die Anspannung nicht mehr.
»Sie sind ein typischer Vertreter dieser neuen Generation von Neurotikern«, belehrte mich der gewiegte Mediziner. »Sie sind nervös und verkrampft. Deshalb können Sie sich nicht entspannen. Aber ich vertraue Ihnen eine psychologische Entdeckung an, die wir Amerikaner vor einiger Zeit gemacht haben: es hilft nichts, sich vor Nervosität zu verzehren! Hören Sie auf damit und beginnen Sie zu leben! Vergessen Sie Ihre Sorgen! Vergessen Sie, daß Sie sich nicht entspannen können — und Sie werden sofort entspannt sein! Ruhen Sie sich aus! Fühlen Sie sich frei! Lachen Sie! Seien Sie glücklich! Entspannen Sie sich!«
Er schluckte hastig zwei Beruhigungspillen und verschwand.
Ich beherzigte seine Worte, nahm mich zusammen und sprach zu mir selbst:
»Was bist du doch für ein Jammergeschöpf, daß du dich nicht entspannen kannst! Es ist eine Schande. Entspann' dich endlich, du Idiot, entspann' dich . . .«
Am Abend wurde ich ins Spital gebracht. Der Professor, der mich untersuchte, hatte sofort heraus, daß ich nervös und verkrampft war. Und er wußte Rat:
»Sie müssen sich entspannen«, sagte er. »Vergessen Sie Ihre Sorgen. Seien Sie ruhig, fühlen Sie sich frei und glücklich, entspannen Sie sich! Sobald Sie sich unbelastet und glücklich fühlen, werden Sie automatisch aufhören, sich belastet und unglücklich zu fühlen. Wir haben unsere Erfahrungen.

Wir wissen Bescheid. ›Entspannung‹ heißt das Motto ...«
Leider war ich um diese Zeit schon im Besitz einer schweren, doppelseitigen Allergie gegen das Wort »Entspannung«. Wenn ich es nur hörte, geriet mein ganzer Körper in wilde Zuckungen, und ich spürte einen unwiderstehlichen Zwang, laut zu krähen. Der Professor deutete das als Zeichen mangelnder Kooperations-Bereitschaft, brach die Behandlung angewidert ab, erlitt einen Nervenzusammenbruch und versuchte mich zu erwürgen, wurde aber von zwei rasch herbeieilenden Wärtern, die ihm gewaltsam eine Morphiumspritze verabreichten, im letzten Augenblick daran gehindert.
Ich selbst nahm um Mitternacht, als ich endlich allein war, eine Überdosis von Schlaftabletten, die sofort ihre Wirkung tat. Vor meinen Augen wurde es schwarz ...
Ich erwachte. Rings um mich war zackiges Gestein, aus dem rote Flammen emporzüngelten. Eine Gestalt mit Hörnern und einer riesigen Gabel trat auf mich zu.
»Entschuldigen Sie«, sagte ich. »Wo bin ich?«
»In der Hölle«, sagte Mephistopheles. »Entspannen Sie sich!«

Aus irgendwelchen Gründen sind Heimreisen immer langweilig. Wir verabschiedeten uns herzlich von unseren Verwandten, schüttelten der Freiheitsstatue die freie linke Hand, bestellten zwei gute Plätze in der Nähe des Piloten, zahlten das Übergewicht für unsere zehn Koffer und landeten kurz darauf in Genua.
Hier holten wir nach, was wir damals bei unsrem ersten Besuch versäumt hatten: wir verbrachten den ganzen Tag im Hafen. Alles lief planmäßig ab, am Abend lagen wir

zur rechten Zeit in den Betten unsres nur wenige hundert Schritte von der SS »Jerusalem« entfernten Hotels — als die beste Ehefrau von allen sich plötzlich im Bett aufsetzte und mir ein aschfahles Gesicht zuwandte:
»Um Himmels willen! Wir haben die Geschenke vergessen!«
»Na, na, na«, murmelte ich verschlafen. »So schlimm wird's nicht sein. Entspann' dich ...«
»Sprich keinen Unsinn, Mann!« Jetzt rannte sie bereits im Zimmer hin und her und blieb nur gelegentlich stehen, um die Hände zu ringen. »Wer von einer so langen Reise zurückkommt wie wir, muß jedem einzelnen Verwandten, Bekannten und Freund etwas mitbringen. Das erwartet man, und das gehört sich so.«
»Merkwürdig«, erwiderte ich. »Alle meine Freunde und Bekannten fahren ununterbrochen in der Welt umher — und mir hat noch niemand etwas mitgebracht.«
»Das stimmt nicht. Hast du nicht von Tante Ilka diesen hübschen grünen Pullover aus Dänemark bekommen, mit dem du immer den Wagen wäschst? Und außerdem: wenn andere Leute keine Manieren haben, so heißt das noch nicht, daß *wir* keine haben müssen.«
»Warum eigentlich? Warum heißt es das nicht?«
Die beste Ehefrau von allen saß unterdessen am Bettrand und stellte eine Liste aller Personen zusammen, die Anspruch auf etwas Mitgebrachtes hatten:
Felix Seelig, Tante Ilka, die Eule Lipschitz, der Finanzminister, Jossele, der Milchmann, mein Freund Kurt, ihre Freundin Rebekka, Batscheba Rothschild, der entlassene Zitruspacker Sprotzek, Kitty Goldfinger, die Brüder Großmann, Schultheiß, Podmanitzky, Mundek, Marie-Luise, Professor Großlockner, die Zieglers, Paltiel ben Saish. Ein Glück, daß Sulzbaum in New York war.

»Aber wie sollen wir das alles noch vor der Abfahrt erledigen?« seufzte meine Frau ein übers andre Mal. »Wie, um Himmels willen, sollen wir das machen?«
Ich nahm die Liste an mich und unterzog sie einer scharfen Revision. Kitty Goldfinger, mit der wir seit Jahren nicht mehr verkehrten, wurde sofort gestrichen. Als nächste kamen die Zieglers, die in einem entlegenen Kibbuz im Negev lebten und von unsrer Reise wahrscheinlich nichts gehört hatten. Dann ging's an die Freundinnen meiner Frau — aber sie kämpfte wie eine Löwin um jede von ihnen und beschwor mich, durch willkürliche Auswahl der Beschenkten keine ewigen Feindschaften zu provozieren. Der einzige Geschenkempfänger, auf den sie unter Umständen verzichten wollte, war Paltiel ben Saish: sie wußte nicht, wer das war, und konnte sich nicht erklären, warum sein Name auf der Liste stand.
Jetzt erhob sich die Frage, womit man diese gierige, auf Geschenke versessene Horde befriedigen sollte.
»Wir müssen«, proklamierte die Listenverfasserin, »für jeden etwas Individuelles finden. Eine Kleinigkeit, die er bestimmt noch nicht hat. Und der man die fremde Herkunft anmerkt. Und die teurer aussieht, als sie ist.«
»Richtig. Geschenke, die diese Bedingungen nicht erfüllen, haben keinen Wert. Dann bringen wir besser gar nichts.«
»Also gut. Was kaufen wir?«
Gemeinsam beugten wir uns über die Liste und gingen sie von Anfang an durch. Von Felix Seelig wußten wir, daß er ein Sportfanatiker war und nie ein Fußballmatch versäumte; als Geschenke kamen somit in Betracht: ein Tennisschläger (12 000 Lire), ein Faltboot (104 000), ein Barhocker (21 000 bis 62 000), ein Pullover (520).
Wir dachten lange nach, was seiner Wesensart am besten entspräche.

»Ich bin für den Pullover«, entschied ich. »Ein praktischer Gegenstand. Immer griffbereit. Wenn Felix verschwitzt vom Training kommt, wird er sehr froh sein, sofort in einen Pullover schlüpfen zu können.«
»Schön ... Damit wäre ein Anfang gemacht ... alles Weitere morgen ... beim Einkaufen ...«
Die letzten Worte hauchte meine Gattin schon halb aus dem Schlaf, und ich selbst hörte sie nur noch mit halbem Ohr.
Am lichten Morgen zogen wir los. Wir warfen uns auf die Warenhäuser, deren es in Genua viele gibt, erstanden als erstes einen wunderschönen, gelben, schafwollenen, echt italienischen »Santi Frutti«-Sportpullover um 490 Lire und strichen Felix Seelig von der Liste.
»Aber wenn wir schon für ihn so ein Vermögen ausgeben — was bleibt dann für Tante Ilka?« fragte meine Frau.
Wir verschoben die Lösung dieses Sonderproblems und kauften für unsere Hausgehilfin Rebekka, deren Vorliebe für schreiende Farben wir kannten, einen wunderschönen, gelben, schafwollenen ... zwei Nummern kleiner ... 450 Lire. Dann analysierten wir die Bedürfnisse der Eule Lipschitz. Was könnte wohl ein wenig Freude und Wärme in sein trübes Dasein bringen? Eine Schweizer Armbanduhr? Ein Radio? Eine Kamera? Sorgfältig schätzten wir Für und Wider gegeneinander ab, faßten neue Möglichkeiten ins Auge und fanden schließlich eine unverhoffte Lösung:
»Alle diese Dinge hat er wahrscheinlich schon. Aber man kann nie genug Pullover haben ...«
Es wurde ein schwarzer und langärmeliger, der infolgedessen 580 Lire kostete (und die Problematik des Geschenks für Tante Ilka noch erhöhte). Dafür mußte sich mein Freund Kurt mit einem ärmellosen Pullover begnügen, was für ihn als Hundebesitzer nur von Vorteil war: wenigstens

konnte ihm der bissige Köter die Ärmel nicht zerfetzen ...
Jossele gab uns einiges aufzulösen, denn er ist ein leidenschaftlicher Briefmarkensammler. Vor einem Schaufenster des nächsten Warenhauses überkam uns die jähe Erleuchtung, daß hellblau die richtige Pulloverfarbe für ihn wäre. Allmählich arbeiteten wir uns durch die ganze Liste. War's Zufall, war's Fügung — wir entdeckten immer wieder, daß es für den Betreffenden kein passenderes Geschenk gab als einen Pullover. Bei den Brüdern Großmann überlegten wir lange, entschieden uns aber dann, da sie ungefähr gleich groß waren, für einen einzigen Pullover, den sie abwechselnd tragen konnten. Finanzielle Schwierigkeiten ergaben sich nicht, da wir uns vom Unterstützungsfonds der Jüdischen Gemeinde in Genua genug Geld ausgeborgt hatten, um auch noch die beiden Koffer bezahlen zu können, die wir für unsere Geschenke brauchten.
Erleichtert und in freudiger Stimmung transportierten wir unser gesamtes Gepäck in den Hafen.
Und dort, schrill über das erste Heulen der Schiffssirene hinweg, ertönte der Aufschrei meiner Gattin:
»Entsetzlich! Wir haben Tante Ilka vergessen.«
Schon saßen wir im Taxi, schon hielten wir vor einem Warenhaus, schon stürzten wir hinein — und standen vor einer Katastrophe: alle Pullover waren ausverkauft.
»Es gehen nämlich heute und morgen zwei Schiffe nach Israel ab«, erklärte die Verkäuferin. »Aber ein netter kleiner Seismograph wäre noch da. Wird von Touristen viel verlangt.«
Was sollte Tante Ilka mit einem Seismographen? Sie würde das womöglich für eine Anspielung auf ihr Schnarchen halten. Nein, das kam nicht in Betracht.
Die Sirene der SS »Jerusalem« heulte zum zweitenmal und unmißverständlich.

Wir erreichten sie noch ganz knapp und verstauten den schönen, dunkelroten Pullover, den wir der Verkäuferin vom Leibe weggekauft hatten, in unsrem zwölften Koffer.

Der Rest der Geschichte enträt jeder dramatischen Spannung. Aus purer Langeweile begannen wir auf hoher See die einzelnen Pullover zu probieren und stellten fest, daß sie uns wie angegossen paßten. Natürlich kamen wir nicht mehr darauf zu sprechen.
Zwei Stunden vor der Landung in Haifa zupfte mich meine Frau am Ärmel:
»Eigentlich«, sagte sie tastend, »eigentlich sehe ich nicht ein, warum wir jedem Schmarotzer, den wir zufällig kennen, ein Geschenk mitbringen müssen. Wo steht das geschrieben?«
»Das frage ich mich schon die ganze Zeit. Aber dann dürfen wir keinem von ihnen etwas mitbringen, sonst verfeinden wir uns mit den anderen . . .«
Niemand hat ein Geschenk von uns bekommen. Wem's nicht paßt, der soll uns klagen. Wir können selbst sehr gut ein paar neue Pullover brauchen, vielen Dank. Unsre Garderobe bedarf dringend der Auffrischung.
So standen wir an Deck, ich in Josseles hellblauem, meine Frau in Tante Ilkas dunkelrotem Pullover, als die weißen, flachen Häuser von Haifa in Sicht kamen. Es war ein vertrautes Panorama. Es unterschied sich in nichts von hundert anderen Hafenstädten auf der ganzen Welt. Nur daß es eine Hafenstadt des einzigen Landes war, das uns gehörte, des einzigen Landes auf der ganzen Welt.
Die Schiffssirene heulte. Wir verstanden jeden Ton.